Chère lectrice,

Ce mois-ci, c'est en Inde que vous emmène votre collection Azur. Laissez-vous entraîner dans ce monde fait de somptueux palais de pierre ocre, où tout n'est qu'étoffes chatoyantes, épices et parfums précieux. C'est dans ce décor propice au rêve qu'a grandi Tina, l'inoubliable héroïne du roman de Susanna Carr, *Une épouse rebelle* (Azur n° 3561). Dans ce décor aussi qu'elle a rencontré l'amour en la personne de Dev. Tout la séparait de ce richissime séducteur et, pourtant, ils sont aujourd'hui mariés. Mais, très vite, Tina va être obligée de se demander si l'amour est bien la raison de leur mariage...

Et si vous ne jurez déjà plus que par les beaux frères De Campo, plongez-vous dans *Un si séduisant défi* (Azur n° 3562). Dans ce deuxième tome de la trilogie « Trois héritiers à aimer », c'est au tour de Gabe De Campo d'être confronté aux sortilèges du désir et de la passion.

Je vous souhaite un excellent mois de lecture !

La responsable de collection

Un refuge en Irlande

CATHY WILLIAMS

Un refuge en Irlande

collection Azur

HARLEQUIN

Collection : Azur

Cet ouvrage a été publié en langue anglaise
sous le titre :
SECRETS OF A RUTHLESS TYCOON

Traduction française de
JULIETTE BOUCHERY

HARLEQUIN®
est une marque déposée par le Groupe Harlequin

Azur® est une marque déposée par Harlequin

HARLEQUIN
83-85, boulevard Vincent-Auriol, 75646 PARIS CEDEX 13
Service Lectrices — Tél. : 01 45 82 47 47

www.harlequin.fr

ISBN 978-2-2803-2703-9 — ISSN 0993-4448

1.

Plus le jour baissait, plus Leo Spencer se demandait pourquoi il faisait ce voyage. Il leva les yeux du rapport affiché sur l'écran de son ordinateur portable pour jeter un regard blasé par la vitre de la voiture. Ce trajet était interminable… La campagne morne se déroulait à perte de vue dans le crépuscule. Il ouvrit la bouche pour demander à son chauffeur d'accélérer un peu, se ravisa : il ne tenait pas à se retrouver dans le fossé, et Harry lui-même ne pourrait guère aller plus vite sur ces petites routes sinueuses, sans éclairage et encore glissantes de la dernière neige. Ils n'avaient pas croisé d'autre véhicule depuis des kilomètres ; Dieu sait où se trouvait l'agglomération la plus proche.

En venant en février, il choisissait le pire moment pour visiter ce coin perdu d'Irlande. Comme il regrettait, maintenant, d'avoir opté pour la voiture plutôt que pour le jet de sa société ! Le vol Londres-Dublin s'était déroulé sans problème, c'était une fois sur place que ce fichu voyage avait viré au cauchemar. Embouteillages, déviations… maintenant, toute trace de civilisation disparue, ils se traînaient sur ces routes sinistres et dangereuses sous un ciel chargé de neige.

Bon, il n'accomplirait plus rien d'utile ce soir. D'un geste sec, il referma son portable et contempla le paysage lugubre. La nuit tombait, la silhouette noire des collines se parait, vague après vague, d'une mosaïque de petits champs, de lacs et de rivières. Que c'était dépaysant, ce vide immense et terne, après les lumières de Londres ! Il n'avait jamais aimé la nature ; à chaque kilomètre, son indifférence se faisait plus hostile. Pourtant, s'il voulait être cohérent avec lui-même, il était obligé de faire ce voyage.

La mort de sa mère, huit mois auparavant, juste après la crise cardiaque qui avait emporté son père, alors qu'il faisait un parcours de golf avec des amis, rendait ce rendez-vous incontournable. Le moment était venu de faire le point sur ses origines réelles et ses parents biologiques. Tant que ses parents adoptifs vivaient encore, il aurait eu l'impression de leur manquer de respect en allant rencontrer ses géniteurs ; maintenant, il était libre de s'intéresser à cette part perdue de lui-même.

Quand il ferma les yeux, des scènes de sa vie se mirent à défiler dans son esprit comme des extraits d'un vieux film muet. Son adoption, à la naissance, par un couple aisé, plus tout jeune, qui ne pouvait pas avoir d'enfants. Son éducation dans des écoles privées, ses vacances à l'étranger. Sa scolarité brillante, puis son premier emploi dans une banque d'investissements. Cet emploi lui avait fourni le tremplin de son ascension météorique dans le monde de la finance ; aujourd'hui, à trente-deux ans, il avait plus d'argent qu'il ne pourrait jamais en dépenser et il en amassait chaque jour davantage, le plus souvent par le jeu des fusions et acquisitions. Dans ce parcours béni des dieux, il ne demeurait qu'une seule zone d'ombre : la question de ses origines. Une question lancinante ; cette fois, il prenait le taureau par les cornes et il en serait bientôt délivré.

Sans être particulièrement porté sur les interrogations existentielles, il se demandait parfois si le fait d'avoir été abandonné à la naissance n'avait pas influé sur sa personnalité. Il avait une vie sexuelle variée, fréquentait les femmes les plus spectaculaires de la jet-set de

Londres, mais l'idée de s'engager envers l'une d'entre elles ne l'avait jamais effleuré. Il avançait toujours le même prétexte : vu l'énergie qu'il dépensait pour son travail, il ne lui restait rien à investir dans une relation amoureuse. Il lui arrivait tout de même de s'interroger : l'abandon de ses parents avait-il ancré en lui une méfiance profonde des rapports humains, et ce malgré le bel exemple de ses parents adoptifs ?

Voilà plusieurs années que l'adresse de sa mère biologique reposait dans un tiroir verrouillé de son bureau : il avait chargé un détective privé de la retrouver. Son père n'était apparemment plus dans les parages. Il se donnait une semaine pour exorciser ses fantômes. Il trouverait sa mère, satisferait sa curiosité ; au fond, il savait déjà à peu près ce qui l'attendait, mais il préférait confirmer ses soupçons en personne. Il resterait bien sûr en contact permanent avec son bureau, son assistante pourrait le joindre à tout moment, par mail ou sur son portable. Il ne cherchait ni des réponses ni une réconciliation : il voulait juste classer le dossier.

L'opération serait à sens unique, il ne révélerait pas sa propre identité. Un homme riche apprend vite à se préserver, et il n'était pas question de laisser une paumée sans le sou, une femme qui s'était débarrassée de son gosse, tenter de l'attendrir dans le but d'obtenir une pension — sans parler des éventuels demi-frères et sœurs qui ne manqueraient pas de réclamer leur part. A cette seule idée, il eut une grimace de mépris.

— Harry ! lança-t-il au chauffeur. Est-ce qu'on pourrait envisager de passer la cinquième ?

Son chauffeur croisa son regard dans le rétroviseur et haussa les sourcils avec flegme.

— Vous n'appréciez pas la beauté du paysage ?

— Vous êtes avec moi depuis huit ans, Harry. Est-ce que je vous ai jamais donné l'impression d'apprécier la nature ?

Il souriait. C'était assez curieux : Harry était le seul à qui il ait confié son histoire, presque le seul être de son entourage en qui il ait une confiance absolue.

— Il y a toujours une première fois, énonça cet homme tranquille. Pour répondre à votre question : non, je ne peux pas aller plus vite, pas sur ces petites routes. Vous avez remarqué le ciel ?

— Comme ça, en passant.

— Il va neiger, Monsieur.

— D'accord. Espérons que ça attendra que je sois reparti.

Par les vitres de la voiture, il ne voyait plus que des ténèbres opaques. A part le moteur puissant de la voiture, un grand silence régnait alentour.

— Le temps se plie rarement à nos exigences, Monsieur. Même celles d'un homme comme vous.

— Vous parlez trop, Harry, lança-t-il avec un nouveau sourire.

— Ma moitié me le dit souvent, Monsieur. Vous êtes bien certain de ne pas avoir besoin de moi pendant votre séjour à Ballybay ?

— Tout à fait certain. Vous rentrez à Dublin, vous confiez la voiture à un chauffeur de taxi qui la ramènera à Londres par le ferry, et vous montez à bord du jet qui vous rendra à votre moitié. J'ai prévenu mon assistante. Pensez juste à dire à l'équipage de se tenir prêt à revenir me chercher. Je n'ai aucune envie de renouveler l'expérience du voyage par la route.

— Entendu, Monsieur.

Le silence retomba. Désœuvré, Leo rouvrit son portable, prit quelques notes sur ce voyage et sur ce qu'il s'attendait à trouver à Ballybay. Les notes s'étoffèrent, devinrent des paragraphes ; puis, la voix de Harry l'arracha à sa concentration.

— Nous sommes arrivés, Monsieur.

Il leva les yeux… et regarda par la vitre, incrédule.

C'était *ça*, Ballybay ? A moins qu'ils n'aient dépassé le centre de l'agglomération ? A la lumière chiche de quelques réverbères, il découvrit un plan d'eau — la carte consultée avant le départ indiquait un lac — et quelques groupes de maisons et de magasins nichés dans des replis du terrain.

— C'est tout ? demanda-t-il.

— Vous vous attendiez à Oxford Street, Monsieur ? repartit paisiblement Harry.

— Je m'attendais à un peu plus d'animation. Est-ce qu'il y a seulement un hôtel ?

Une semaine, il avait vu large ! Il ne lui faudrait pas plus de deux jours pour boucler son pèlerinage.

— Il y a un pub, Monsieur.

De sa main tendue, le chauffeur lui indiquait un établissement à l'ancienne, nettement à l'écart des autres maisons ; d'après l'enseigne, on y louait des chambres. Ce qui supposait un sacré optimisme : quels touristes viendraient s'égarer dans ce coin perdu ?

— Bon, déposez-moi ici, décida-t-il en rangeant son ordinateur extra-plat dans son sac de voyage, qu'il avait choisi vieux et cabossé pour ne pas attirer l'attention. Faites bonne route.

Il comparait déjà ce village perdu au bourg du Surrey où il avait passé son enfance. Un bourg prospère et animé, avec ses restaurants gastronomiques et ses boutiques tendance. Là-bas, le paysage était sage et parfaitement entretenu, les transports pour Londres commodes… et ces avantages se répercutaient sur les prix de l'immobilier. Les maisons étaient grandes, belles et dissimulées derrière de hauts portails électroniques. Le samedi, la grand-rue du village fourmillait de gens élégants qui conduisaient de grosses voitures. Alors qu'ici… Planté seul au bord de la route, en plein vent, il trouvait tout à coup les lumières du vieux pub beaucoup plus accueillantes.

Debout à sa place habituelle, derrière le bar, Brianna Sullivan préparait les commandes à la chaîne en sentant poindre un affreux mal de tête. La salle était toujours bondée le vendredi soir, même au cœur de l'hiver. Même si elle était ravie d'accueillir la clientèle qui faisait vivre l'établissement, elle aurait donné beaucoup pour quelques instants de calme et de silence. Depuis qu'elle avait hérité du pub de son père, six ans plus tôt, elle gérait seule l'établissement, et tous ses revenus en dépendaient… autant dire qu'elle n'avait jamais le temps de souffler.

— Dis à Pat de venir chercher son verre au bar comme tout le monde, glissa-t-elle à Shannon, sa serveuse. Nous avons assez à faire sans que tu files là-bas avec ton plateau chaque fois qu'il te le demande, simplement parce qu'il s'est cassé la jambe il y a six mois. S'il n'est pas capable de marcher, il n'a qu'à envoyer son frère !

A l'autre extrémité du bar, trois hommes cherchaient à attirer son attention en braillant une chanson d'amour : Aidan, son ami d'enfance, flanqué de deux autres copains.

— Si vous ne pouvez pas vous tenir, vous allez prendre la porte, menaça-t-elle en posant sèchement leurs verres sur la surface luisante du bar.

— Allez, tu sais bien que tu m'aimes, ma beauté ! clama Aidan.

Exaspérée, elle lui annonça que s'il ne réglait pas intégralement son ardoise, elle ne le servirait plus. Docile, il sortit son portefeuille — le temps de faire le compte, douze voix réclamaient leurs commandes à cor et à cris. Il aurait fallu davantage de monde au service ! Mais que faire des employés en semaine, quand la salle n'était qu'à moitié pleine ? Comment justifier une telle dépense ? En somme, elle passait sa vie à courir après le temps. Entre les comptes, les inventaires, les commandes, le ménage et les heures passées chaque soir derrière le bar… Elle avait vingt-sept ans mais le temps de cligner les yeux, elle en aurait trente, quarante, cinquante, et ce serait toujours pareil, une fuite en avant sans un moment de répit. Pour l'instant, elle était encore jeune mais ce soir, elle se sentait presque centenaire.

Et ce fichu Aidan qui se trouvait si drôle avec ses déclarations enflammées ! Brianna ne l'écoutait plus, n'entendait même plus le brouhaha de la salle. Un découragement infini s'emparait d'elle. Elle avait fait des études — ce n'était pas pour passer sa vie à tenir un pub de campagne ! Oui, elle aimait ce village..., mais la vie lui réservait tout de même autre chose, non ? Elle pourrait espérer s'amuser un peu avant d'être vieille ? Six mois de liberté en sortant de la fac, ce n'était pas beaucoup ! Ensuite, elle avait dû revenir ici en catastrophe s'occuper de son père malade...

Il lui manquait encore chaque jour : son rire joyeux, sa foi en elle inébranlable, ses plaisanteries... Pendant douze ans, après la mort de ls mère, ils s'étaient retrouvés seuls, tous les deux. Que dirait-il s'il savait qu'elle était toujours ici, derrière le bar ? Il aspirait à autre chose pour elle, des voyages, une carrière d'artiste... sans se douter qu'il ne serait bientôt plus là pour l'aider à réaliser son rêve.

Perdue dans ses pensées, elle ne nota pas tout de suite le changement d'atmosphère de la salle. Occupée à tirer une pinte, elle prit conscience d'un silence insolite. La porte s'était ouverte ; sur le seuil se tenait le plus bel homme qu'elle ait croisé de toute sa vie. Grand, des cheveux très bruns rejetés en arrière autour d'un visage invraisemblablement beau... Pas du tout décontenancé par les regards braqués sur lui, il jeta un coup d'œil tranquille à la ronde et ses yeux — noirs — vinrent se poser sur elle.

Un regard désinvolte qui la fit rougir. Les joues brûlantes, elle se détourna pour se concentrer de nouveau sur sa tâche et, comme si son geste avait rompu le charme, tous les consommateurs reprirent leurs conversations interrompues. Le vieux Connor entonna une chanson, comme il le faisait toujours à cette heure de la soirée, et comme tous les soirs, il y eut une clameur générale pour le faire taire.

Brianna ne regardait plus l'inconnu, mais elle sentait toujours sa présence. Elle ne fut pas du tout surprise quand, quelques instants plus tard, elle se retourna, deux verres de whisky à la main, et le trouva planté juste devant elle.

— Vous louez des chambres ?

Leo commençait à s'impatienter. Il n'avait pas l'habitude d'attendre, ou de crier pour se faire entendre. La population entière du bourg semblait s'être donné rendez-vous ici, et le niveau sonore était assourdissant. Tous les tabourets de cuir vert étaient occupés, toutes les tables ; derrière le bar, deux filles se démenaient pour servir la foule, une petite brune à la poitrine généreuse et une grande mince à la somptueuse crinière cuivrée. Quand il interpella cette dernière, elle braqua sur lui les yeux verts les plus limpides qu'il ait jamais vus et répliqua :

— Oui, pourquoi ?

— Il me faut une chambre. Je suppose que vous êtes le seul établissement à Ballybay à en proposer ?

Sa question, pourtant assez innocente, eut le don de la hérisser.

— Ici, ce n'est pas assez bien pour vous ?

Cette serveuse était bien susceptible ! Il préféra couper court.

— Je peux parler au propriétaire ?

— C'est ce que vous êtes en train de faire.

L'établissement était à *elle* ? Surpris, il la dévisagea plus attentivement. Hmm, cette peau crémeuse, lisse comme du satin et vierge de tout maquillage, ces cheveux fabuleux… Dommage qu'elle s'habille aussi mal. Par quel tour de force réussissait-elle à rester aussi spectaculaire dans ce jean délavé et cette chemise d'homme trop grande pour elle ? Il décida de se montrer plus conciliant.

— Bon, reprenons. Je voudrais une chambre.

— Je vous ferai monter dès que j'aurai une minute. Vous voulez boire quelque chose en attendant ?

Prise de court, Brianna dévisagea son visiteur. D'où sortait ce type, et que faisait-il à Ballybay ? Il n'était pas d'ici, c'était évident. Venait-il voir quelqu'un dans le voisinage ? Non, elle serait forcément au courant.

— Je voudrais surtout une douche chaude et une bonne nuit de sommeil.

— Il faudra attendre un peu, monsieur… ?

— Je m'appelle Leo. Donnez-moi la clé et je me débrouillerai. J'y pense, où faut-il aller si on veut manger quelque chose ?

Ce visage trop beau, ce petit air impatient lui rappelaient furieusement un épisode désagréable de son passé. La leçon avait été cuisante et depuis, elle évitait les hommes trop sûrs d'eux. D'une voix brève, elle lâcha :

— Le restaurant le plus proche est à Monaghan. Je pourrais vous proposer un sandwich, mais…

— Je sais, je devrai attendre parce que vous êtes trop occupée. Oubliez ça. Je vous verse un acompte ?

Elle lui jeta un regard excédé avant de se retourner vers Aidan.

— Tu veux bien prendre la relève ? Il faut que je donne une chambre à monsieur. Mais attention, n'en profite pas. Je reviens dans cinq minutes et si tu t'es accordé ne serait-ce qu'un dé à coudre de bière, tu es interdit de pub pendant une semaine !

— Moi aussi, je t'adore, Brianna, repartit son vieux copain sans rien perdre de sa bonne humeur.

Elle entraîna son nouveau client en direction de la porte séparant le pub de l'hôtel. Quand elle referma le battant massif derrière eux, le vacarme diminua de moitié ; elle s'autorisa un bref soupir de soulagement.

— Pour combien de temps, la chambre ?

Sans attendre de réponse, elle décrocha une clé du tableau et précéda le nouveau venu dans l'escalier, terriblement consciente de sa présence sur ses talons — une présence électrique qui faisait se dresser les cheveux sur sa nuque. Décidément, si la seule vue d'un homme présentable lui faisait un tel effet, cela signifiait qu'elle s'enterrait ici depuis trop longtemps !

— Quelques jours, répondit-il d'un air distrait.

Leo s'engagea dans l'escalier, fasciné par la silhouette de la jeune femme qui le précédait. Elle avait une grâce de danseuse. Pourquoi une fille aussi superbe tenait-elle un pub au milieu de nulle part ? Certainement pas pour échapper au stress de la vie urbaine : elle avait l'air à bout de nerfs. S'il y avait autant de monde tous les soirs, il comprenait pourquoi ! En prenant pied sur le palier du premier étage, elle lança par-dessus son épaule :

— Je peux vous demander ce qui vous amène dans notre magnifique région ?

Elle ouvrit une porte et s'écarta pour le laisser entrer. Méfiant, il prit son temps pour examiner la pièce un peu petite, mais très propre. Cela irait. Il devrait juste faire attention à ne pas se cogner aux poutres massives. Il pivota sur lui-même, retira sa veste et la laissa choir sur le dossier de la jolie chaise ancienne placée devant le bureau ; la jeune femme recula vivement, comme s'il venait d'empiéter sur son espace.

— Vous pouvez toujours demander, répondit-il avec un sourire cordial.

Qu'était-il censé dire : « Je suis milliardaire et je recherche la mère qui n'a pas voulu de moi ? » En un éclair, tout le village serait au courant. Non, il ferait sa petite enquête incognito, sans se laisser piéger par une patronne de pub trop bavarde.

— … mais vous n'allez rien me dire, acheva-t-elle. Très bien. Le petit déjeuner est servi entre 7 et 8 heures. Je suis seule pour faire le service, je n'aurai pas beaucoup de temps.

— Je suis ému par la chaleur de votre accueil.

Brianna rougit en se souvenant un peu tard qu'elle parlait à un client de passage, pas à l'un des habitués qu'elle pouvait traiter de façon cavalière.

— Je vous fais mes excuses, monsieur… ?

— Leo.

— … mais je suis débordée et pas de très bonne humeur. La salle de bains est derrière cette porte, il y a de quoi faire du thé et du café…

Il était temps de redescendre, mais elle s'attardait malgré elle. D'un côté, cet homme lui rappelait une foule de mauvais souvenirs ; d'un autre, il était un Daniel Fluke puissance dix — plus grand, plus beau, mais sans le bagout charmeur qui rendait Danny si sympathique. Il l'inquiétait un peu, aussi : il refusait de dire son nom et elle ne savait toujours pas ce qu'il venait faire dans les parages. Et cette présence ! Une aura virile qui semblait remplir tout l'univers ; maintenant qu'il n'avait plus sa veste, elle découvrait un corps admirablement proportionné, moulé dans un jean et un pull noirs. Sa peau très lisse et mate suggérait des ancêtres venus du sud. Elle s'éclaircit la gorge et articula :

— Je vous demanderai de régler des arrhes…

Sans commentaire, il sortit une liasse de billets de son portefeuille et lui tendit la somme en demandant d'un ton léger :

— On fait quoi pour se distraire, par ici ?

Leo enfonça les mains dans ses poches, inclina la tête sur le côté et enchaîna avec beaucoup de naturel :

— Je suppose que vous devez tout savoir sur la région, connaître tout le monde ?

— Vous n'avez pas choisi la meilleure saison pour faire du tourisme, m… Leo. La randonnée autour du lac serait impraticable par ce temps, la météo annonce de grosses chutes de neige. Il n'y a pas de pêche en hiver.

— Bon, je me contenterai de visiter le village, murmura-t-il.

Elle avait vraiment des yeux d'un vert stupéfiant, et il appréciait beaucoup l'ombre de ces longs cils sombres sur cette peau très blanche… Il décida qu'il aurait tout intérêt à se concilier cette merveille.

— J'espère que ma présence ne vous met pas mal à l'aise ? demanda-t-il avec gentillesse. Vous ne m'avez pas dit votre nom, mais j'ai cru comprendre que c'est Brianna ?

— Nous ne voyons pas beaucoup de visiteurs, en tout cas pas en plein hiver…

— … Et vous hésitez à louer une chambre à un inconnu sans savoir ce qu'il vient chercher à Ballybay.

Il lui décocha un sourire. Habituellement, l'impact était immédiat ; elle allait se détendre, lui sourire en retour et le détailler discrètement ; c'était la réaction quasi universelle des femmes. Elle le surprit une fois de plus en le dévisageant d'un air distant, les sourcils froncés, et en confirmant :

— C'est cela, oui.

Puis elle s'appuya de l'épaule au chambranle de la porte, les bras croisés, en attendant la suite.

— Je…

Elle venait de le prendre de court, un événement assez rare pour être souligné ! Contrarié, il lui opposa le visage inexpressif qu'il adoptait dans les réunions difficiles. Il n'avait pas prévu de devoir s'expliquer aussi vite, ou de trouver un village aussi petit. S'il s'était bien douté qu'il ne pourrait pas se présenter tout crûment à la porte de sa mère pour l'interroger, il commençait à comprendre que son plan B — se renseigner auprès des voisins rencontrés dans les bars ou les commerces près de chez elle — n'était pas franchement jouable non plus.

Brianna attendait toujours la réponse à sa question. La location de cette chambre lui permettrait de boucler sa fin de mois…, mais elle vivait tout de même seule ici. Qu'est-ce qui lui garantissait que ce client n'était pas un tueur en série ? D'un autre côté, un tueur en série n'allait pas s'annoncer comme tel juste parce qu'elle lui demandait quelques renseignements — mais si ce type semblait vraiment trop louche, si elle sentait qu'elle ne pouvait pas lui faire confiance, elle lui demanderait de passer son chemin. Soulagée par cette décision, elle insista.

— Oui ?

— C'est un peu gênant à expliquer…

Le regard sombre de Leo la quitta, passa sur la jolie aquarelle accrochée au-dessus du lit et se posa sur les livres alignés sur une étagère. Elle crut voir frémir sa bouche admirablement bien découpée quand il acheva :

— … mais j'ai plaqué un excellent job il y a quinze jours.

— Un excellent job dans lequel vous faisiez quoi ?

Cela virait à l'interrogatoire, elle en avait bien conscience ; cet homme ne lui devait aucune explication, et elle pourrait même perdre des clients s'il se plaignait sur les réseaux sociaux que la patronne du Angler's Catch de Ballybay se montrait désagréable avec les clients de passage. En bas, dans la salle, Aidan avait déjà dû boire un, voire deux whiskies à ses frais, Shannon courait sûrement comme une poule qui a perdu ses poussins en cherchant à contenter tout le monde…, mais elle se découvrait incapable de mettre fin à ce tête-à-tête. Le visage de Leo la fascinait, sa voix grave, un peu ironique, l'hypnotisait.

— Je travaillais dans une de ces grandes entreprises sans âme…

Ce n'était pas vraiment un mensonge, pensa Leo, même si sa société avait un peu plus d'âme que ses concurrentes.

— … mais j'ai toujours rêvé d'écrire. J'ai décidé de tenter ma chance, en prenant une année sabbatique… Je verrai bien où cela me mènera.

Il franchit les deux pas qui le séparaient de la fenêtre et conclut, en se penchant vers la vitre :

— Il m'a semblé que ce serait bien de commencer en Irlande, le pays qui a tant inspiré les écrivains. J'ai eu envie de la parcourir, de voir les coins où les touristes ne vont jamais…

Il jeta un regard par-dessus son épaule à la belle Brianna, haussa les épaules, et reprit sa contemplation pensive. De la pure mise en scène : il faisait si noir qu'il ne voyait strictement rien à l'extérieur.

Elle le considérait toujours, un petit pli entre les sourcils. Il comprenait son hésitation, il n'avait pas du tout le look d'un écrivain — mais les auteurs n'étaient pas tous taillés dans le même moule. Il sentit que sa méfiance se dissipait. D'une voix beaucoup plus cordiale, elle proposa :

— Le pub est beaucoup plus calme en fin de soirée. Si vous ne dormez pas encore, je vous ferai quelque chose à manger.

— C'est très gentil à vous, murmura-t-il poliment.

Il se sentait un peu coupable de lui avoir servi un mensonge aussi énorme — mais en l'espace de trois secondes, son malaise fut oublié. Il venait juste de réagir à une situation inattendue, voilà tout. Sa tâche serait simplifiée s'il mettait Brianna dans sa poche. Les patrons de pub savent tout sur tout le monde, et ils parlent facilement de leurs voisins. Elle pourrait sûrement lui donner des renseignements sur sa mère.

Ensuite, il irait rendre visite à celle-ci sous un prétexte quelconque — tiens, pour l'interviewer dans le cadre de ce fameux livre qu'il était censé écrire. En faisant le lien avec les informations déjà glanées, il repartirait avec un profil complet de la femme qui l'avait abandonné à sa naissance. Le puzzle de sa vie serait enfin complet.

— Bon, murmura Brianna. Vous avez d'autres questions sur… la chambre ? Le téléviseur ? Comment téléphoner à l'extérieur ?

— Je crois que je saurai me débrouiller, lâcha-t-il avec un brin d'ironie. Vous pouvez descendre retrouver votre joyeuse bande d'habitués.

— Ils sont joyeux, en effet…

Et elle lui sourit en glissant les pouces dans les poches de son jean. Ebloui, il mit un instant à reprendre son souffle. Ce n'était qu'un sourire, assorti d'un geste de rien du tout, mais une bouffée de désir d'une rare intensité venait de l'assaillir. Avec sa silhouette presque garçonne, elle était pourtant tout le contraire des femmes qui l'attiraient d'ordinaire. Des femmes belles, sexy, qui soulignaient avec art leurs formes plantureuses. Contrarié par la réaction inattendue de son corps, il lança un peu sèchement :

— Vous êtes débordée. Vous devriez embaucher du personnel.

Brianna se rembrunit. Bon, elle avait failli le trouver sympathique et voilà qu'il se refermait comme une huître. Décidément, les types trop sexy n'étaient pas fréquentables, les écrivains pas plus que les autres : si on se laissait charmer par les apparences, on ne tardait pas à buter sur des aspects beaucoup moins séduisants. Sans sourire, elle lui souhaita une bonne nuit et redescendit.

Elle trouva Aidan un verre de whisky à la main, qu'il se hâta de poser en la voyant. Shannon semblait au bord des larmes : malgré les instructions de Brianna, elle trottait avec un plateau lourdement chargé en direction du groupe bruyant qui occupait la table d'angle. Le vieux Connor avait encore dû avaler plusieurs verres ; il n'arrivait plus à articuler les paroles de sa chanson. La routine habituelle… Le temps que les habitués se dispersent dans la nuit glaciale, elle se sentait vingt années supplémentaires dans les jambes et sur les épaules. La salle enfin vidée, elle s'attarda quelques instants sur le seuil à respirer l'air pur et très froid. La neige avait repris ; de gros flocons se pressaient dans l'air de la nuit.

— Au moins, il y aura un homme ici avec toi ce soir, lança Shannon en partant, le visage presque caché par la grosse écharpe qu'elle s'enroulait autour du cou.

Malgré son jeune âge — dix-neuf ans — elle était très maternelle et s'inquiétait beaucoup de savoir Brianna seule, la nuit, dans son logement au-dessus du bar. Du pas de la porte, celle-ci lui lança en riant :

— D'après tout ce que j'ai pu voir, les hommes sont les premiers à foncer aux abris dès qu'il y a le moindre danger !

— Vous choisissez mal vos fréquentations, dit une voix grave derrière elle.

Elle se retourna d'un bond. Leo se tenait près du bar, les bras croisés, une étincelle d'humour dans ses yeux sombres. Il s'était douché et changé ; son pull couleur crème soulignait subtilement sa peau mate et ses cheveux très bruns.

— Vous venez chercher votre sandwich, murmura-t-elle.

— J'ai compris que vos clients commençaient à s'en aller. Les chants s'étaient tus.

Rapide et efficace, elle entreprit de débarrasser les tables. Leo n'hésita qu'un instant avant de se décider à l'aider. L'expérience était assez nouvelle pour lui. Le plus souvent, il prenait ses repas au restaurant ; quand il dînait chez lui, son intendante, une excellente cuisinière, se chargeait de toutes les tâches annexes. Une fois par mois environ, Harry venait passer la soirée avec lui, le plus souvent un soir de match. Ils partageaient une pizza, buvaient quelques bières… C'était ainsi qu'il décompressait. Il se demanda soudain quand et comment ce petit geste si normal, donner un coup de main pour débarrasser une table, avait disparu de sa vie. Mais en fait, cela n'avait rien de surprenant ; quand on est à la tête d'une chaîne de compagnies qui brasse des milliards, on ne mène pas une existence normale.

Les mains chargées de chopes, il suivit Brianna dans la cuisine et la trouva en train d'aligner les ingrédients d'un sandwich sur le plan de travail.

— Ne vous sentez pas obligé de m'aider, lui dit-elle par-dessus son épaule. Vous êtes mon hôte.

— Oui, mais un hôte curieux. Parlez-moi du vieux monsieur qui aurait aimé être chanteur.

Il prenait un plaisir surprenant à la regarder s'activer, assembler en quelques gestes un sandwich assez conséquent pour nourrir quatre personnes, pousser l'assiette vers lui, puis commencer à aligner les chopes et les verres dans un gros lave-vaisselle hors d'âge. D'abord un peu crispée, elle se mit à lui parler de ses habitués ; bientôt, elle riait, tout à fait détendue, en relatant leurs petites manies, en décrivant les épouses en colère qui faisaient parfois irruption dans la salle pour en arracher leurs maris qui abusaient de leur permission de minuit…

— Au fait, ce sandwich est délicieux, murmura-t-il.

Il était sincère, et même assez étonné de le trouver aussi savoureux : on lui présentait habituellement des sandwichs beaucoup plus raffinés, préparés par les meilleurs chefs… Il souleva son assiette un instant pour lui permettre de passer l'éponge sur le bar, et reprit :

— Je suppose que vous connaissez tout le monde, ici ?

— Vous supposez bien.

— Le bon côté de la vie rurale ?

Une phrase toute faite : à ses yeux, la vie rurale était

un vrai cauchemar, il préférait de loin l'anonymat des grandes villes.

— C'est agréable de connaître ses voisins, dit-elle. Nous ne sommes pas nombreux à Ballybay ; quelques copains de mon âge sont partis s'installer dans d'autres régions Irlande, deux vivent même à l'étranger, mais en gros, nous avons toujours vécu côte à côte.

Elle rougit sous son regard scrutateur, mais sembla mettre un point d'honneur à ne pas baisser les yeux. Elle enchaîna :

— Presque tous ceux qui étaient là, ce soir, sont des habitués qui venaient déjà du temps de mon père.

— Et votre père est... ?

— Mort, dit-elle d'une voix brève. J'ai repris l'affaire.

— Je suis désolé. C'est un métier assez rude.

— Je tiens le coup.

Elle vint prendre son assiette vide, la déposa dans l'évier et se lava les mains.

— Et bien sûr, insinua-t-il, vous avez vos amis autour de vous. Peut-être même des frères et sœurs, votre mère ?

— Vous posez beaucoup de questions !

— Est-ce qu'on n'est pas toujours curieux des autres ? improvisa-t-il sans se démonter. Quand on veut écrire, on s'intéresse forcément aux gens que l'on croise.

Il se leva de son tabouret et se dirigea d'un pas tranquille vers l'escalier qui menait aux chambres en lâchant :

— Merci et bonne nuit. Si vous me trouvez trop indiscret, il suffit de me le dire.

Brianna ouvrit la bouche pour répondre fraîchement, soucieuse de rétablir une distance..., mais la tentation de parler à quelqu'un de nouveau, un homme qui ne la connaissait pas depuis la maternelle, était trop forte. Un écrivain ! C'était fantastique de rencontrer un être appartenant au même univers qu'elle. Il n'était pas toujours très sympathique, mais elle décida de lui laisser le bénéfice du doute. Après tout, il n'était pas Danny Fluke, et elle pouvait bien baisser sa garde pendant quelques jours. Elle s'autorisa donc à lui sourire.

— Vous n'êtes pas indiscret, c'est juste que je ne comprends pas ce qui vous intéresse, chez nous. Vous ne trouverez rien ici pour votre livre : nous sommes des gens très ordinaires.

Il s'était arrêté dans l'ombre, près de la porte, elle ne voyait pas bien son visage. Une fois de plus, elle eut l'impression d'un décalage, comme s'il était tout autre que ce qu'il laissait voir…, mais elle l'oublia aussitôt quand il se redressa en lui souriant.

— Les gens ordinaires, ça n'existe pas. Vous seriez surprise de ce qu'on peut glaner de passionnant dans un village comme celui-ci.

Elle, en tout cas, commençait sérieusement à l'intéresser. Elle était si différente des femmes qu'il rencontrait d'ordinaire, et il devinait que son petit air de défi cachait une blessure.

— Demain, proposa-t-il, vous me direz ce que je peux faire pour vous aider. Ce sera l'occasion de vous détendre un peu et en échange, vous me parlerez des gens qui vivent ici.

— Mais non, vous êtes un client. J'adorerais échanger votre chambre contre un coup de main, mais je ne peux pas me le permettre.

— Ce n'est pas ce que je vous ai proposé !

Il se demanda comment elle réagirait si elle savait qu'il pourrait acheter cent pubs comme le sien juste avec la petite monnaie qu'il avait au fond de ses poches. Le plus important, maintenant, était de se montrer assez fin pour qu'elle ne s'aperçoive pas, que parmi toutes les histoires qu'elle lui raconterait, une seule l'intéressait…

— Non, non, dit-il de sa voix la plus rassurante, je réglerai la chambre comme prévu. C'est vous qui me rendez service en me fournissant des idées. J'ai l'impression que vous avez besoin d'un jour de repos.

Brianna réprima un soupir. La seule idée de quelques heures de relâche l'éblouissait comme un mirage.

— Je ne vous ferai pas faire mon travail, dit-elle résolument, mais j'accepte volontiers un petit coup de main. Et ce sera agréable de bavarder avec vous.

2.

La neige tombait dru quand Brianna se réveilla, à 6 heures. Les alentours du pub étaient déjà enfouis sous une couche épaisse que le vent sculptait pour lui donner des formes irréelles. Avec ce blizzard, personne ne viendrait au pub ce soir. La joie toute simple qu'elle éprouvait à la perspective d'une journée de relâche fut aussitôt gâchée par un souci financier : pas de clients, pas de chiffre. Puis elle pensa à l'inconnu couché au premier étage, qui payait sa chambre et ses repas. Cette fois au moins, la tempête ne tarirait pas tous ses revenus.

Il y avait aussi ce cadeau fabuleux et si inattendu : la présence sous son toit d'un autre artiste. Les hommes de Ballybay avaient toutes sortes de qualités, mais pas la moindre fibre créative. Elle referma les yeux pour savourer quelques minutes de paresse en pensant à ce Leo… à la façon dont ses yeux sombres avaient suivi ses gestes pendant qu'elle rangeait, essuyait le bar, alignait les tabourets, à la chaleur extraordinaire qu'elle avait sentie courir dans ses veines.

Un regard d'homme concentré sur elle, c'était troublant, après des années de chasteté. Curieusement, l'arrivée de ce client mystérieux réveillait le souvenir de l'aventure désastreuse qu'elle avait vécue à l'université. A l'époque, elle s'était crue amoureuse ; depuis, sa vie affective s'était arrêtée net.

Daniel avait été… le garçon idéal. Des cheveux

châtains, des yeux bleus rieurs, un charme fou ; il avait une véritable cour d'admirateurs, mais il ne voyait qu'elle. Ils étaient restés ensemble pendant près de deux ans, elle l'avait invité ici, lui avait présenté son père ; elle les revoyait tous les deux, discutant gravement, accoudés au bar…

Danny faisait des études de droit, il enchaînait les bonnes notes avec l'assurance de ceux qui ont toujours su où ils allaient. Issu d'une très vieille famille aristocratique de Dublin (elle avait séjourné plusieurs fois dans le merveilleux appartement qu'ils y possédaient), il avait toujours vécu à Londres, où son père était magistrat et sa mère avocate.

Aujourd'hui, avec le recul, elle percevait ce que leurs rapports avaient eu d'inégal. Ce n'était jamais dit en clair, mais on lui faisait comprendre qu'elle avait beaucoup de chance. Qu'elle pouvait s'estimer heureuse d'avoir séduit un garçon comme Danny, qui n'avait qu'à claquer des doigts pour faire accourir toutes les filles du campus. A l'époque, elle vivait sur son petit nuage, et croyait sincèrement que leur relation était faite pour durer. Il lui venait encore un goût amer dans la bouche quand elle se souvenait de la façon dont tout s'était terminé.

Cela avait commencé par une très belle surprise : des vacances en Nouvelle-Zélande, tous frais payés, pour fêter la fin de leurs études. Quand elle se souvenait de la légèreté avec laquelle elle avait accepté sa générosité… A son retour en Irlande, elle avait appris que son père était gravement malade… et commis l'erreur fatale de formuler ses attentes. Elle était si sûre que Danny serait là, à ses côtés, pour la soutenir dans cette épreuve !

— Voyons, avait-il répondu, je ne peux pas rester ici avec toi, j'ai mon stage à Londres…

Cela, elle pouvait le comprendre, mais ils pourraient tout de même se voir le week-end, n'est-ce pas ? Son père se rétablirait, répétait-elle, préférant ignorer le pronostic pourtant très clair des médecins. Et quand il serait de nouveau sur pied, elle viendrait rejoindre Danny à Londres. Il y aurait là-bas une foule d'opportunités pour elle, ils pourraient louer un appartement tous les deux… Inutile de se presser d'acheter, mieux valait laisser mûrir leur amour. Ce serait merveilleux de rencontrer enfin sa famille, le frère dont il parlait si souvent, un as de la finance, la petite sœur en internat à Gloucester. Et ses parents, bien sûr, même s'ils semblaient être toujours en voyage…

Bref, elle s'était bêtement investie dans un avenir imaginaire que Danny avait aussitôt balayé d'un revers de main. Elle était de loin la fille la plus intéressante du campus, mais un avenir ensemble ? Son expression horrifiée avait déjà tout dit qu'elle s'accrochait encore, en exigeant des explications. Elle se revoyait à l'époque, si jeune, si naïve — et plus elle le forçait à expliquer, plus l'attitude de Danny se faisait glaciale. Ils vivaient dans des mondes tout à fait différents, elle et lui. Comment avait-elle pu croire, un seul instant, qu'ils allaient se marier ? Cela ne lui suffisait pas d'avoir eu un grand voyage en guise de cadeau d'adieu ? On attendait de lui qu'il épouse une femme d'un autre milieu, c'était comme ça, il était temps pour elle de passer à autre chose…

Elle était passée à autre chose, en effet, mais une part d'elle restait bloquée à cette période de sa vie. Elle n'avait pas eu d'autre relation amoureuse. Et voilà que l'arrivée inattendue de ce Leo ouvrait la boîte de Pandore. Elle aurait sans doute dû rabattre le couvercle, mais elle resta longtemps allongée au creux de son lit, à brasser des pensées oubliées. Quand enfin elle dévala l'escalier, il était plus de 8 heures — après l'horaire annoncé du petit déjeuner. Encore un mauvais point pour le classement du pub !

Elle s'arrêta net sur le seuil de la cuisine, stupéfaite d'y trouver son client, parfaitement à son aise, attablé devant un ordinateur portable, une tasse de café à portée de main. Dès qu'il la vit, il rabattit le couvercle de l'appareil et se redressa en lui souriant. Elle s'aperçut qu'elle hésitait à entrer dans son propre domaine.

— J'espère que ça ne vous ennuie pas, dit-il cordialement. J'ai fait comme chez moi. J'ai l'habitude de me lever tôt.

Levé à 6 heures, Leo avait déjà abattu un gros travail, mais tout de même moins qu'il n'escomptait. Contre toute attente, ses pensées ne cessaient de revenir à la jeune femme qui tenait ce pub perdu. Etait-ce parce qu'il se retrouvait dans un univers si différent ? Il ne travaillait pas avec sa discipline habituelle. Il s'était endormi en pensant à de beaux yeux verts, et réveillé moins de cinq heures plus tard dans un état de désir presque douloureux. Une situation absurde : s'il comptait obtenir le plus d'informations possibles auprès de Brianna, il ne s'intéressait certainement pas à elle sur un autre plan !

— Vous étiez en train de travailler, murmura-t-elle avec un sourire un peu intimidé.

— Oui, confirma-t-il. Je suis plus productif le matin.

Elle s'attela à ses propres tâches, vida le lave-vaisselle, alla ranger les verres au bar et sortit du réfrigérateur de quoi préparer le petit déjeuner. Sans cesser de s'activer, elle demanda :

— Vous avez déjà réussi à poser quelque chose sur la page ? Ce doit être très difficile de commencer. Je peux vous demander de quoi parlera votre livre, ou vous préférez garder ça pour vous ?

— Les gens ordinaires, leurs relations… Vous vous levez toujours à cette heure ?

Il disait la première chose qui lui passait par la tête, pour évacuer le sujet au plus vite. Il ne faudrait pas grand-chose pour le piéger : la dernière fois qu'il avait écrit un texte de fiction remontait au secondaire.

— Beaucoup plus tôt ! se récria-t-elle en rougissant. C'est cette neige. Je ne sais pas pourquoi, je n'arrivais pas à sortir de mon lit…

Elle vint remplir de café sa tasse presque vide et se mit à casser des œufs dans une jatte.

— Mais non, protesta-t-il. Asseyez-vous tranquillement, prenez un café, vous aussi. Vous pouvez bien me faire la conversation quelques minutes avant de vous mettre au travail.

Un peu perplexe, il la regarda s'asseoir en face de lui. Pourquoi rougissait-elle si facilement ? Comme si elle éprouvait le besoin de combler un silence qui la mettait mal à l'aise, elle se mit à se raconter.

— J'ai déjà trop traîné ce matin, il y a beaucoup à faire quand on tient un pub… Je vous l'ai dit, je fais tout moi-même, je prends toutes les décisions…

Leo, qui éprouvait habituellement peu de curiosité pour les femmes, se sentit intrigué malgré lui.

— Vous avez choisi une drôle d'existence.

— Oh ! je ne l'ai pas choisie !

— Vous pouvez m'expliquer ?

— Pourquoi, ça vous intéresse ?

— Bien sûr, puisque je pose la question, lâcha-t-il d'un ton léger.

Ce matin, en pointant ses listings, il s'était surpris à se demander si elle était réellement aussi jolie qu'il l'avait cru. La lumière tamisée d'un pub peut faire beaucoup pour une femme ordinaire. En fait, sa première impression était juste, et même très en dessous de la réalité. Saisi par sa beauté angélique, il se surprit à la dévisager. Discrètement, son regard descendit vers ses seins, de petits bourgeons qui pointaient à peine sous un pull masculin peu flatteur… Un pull qui avait dû appartenir à son père.

— La maladie de mon père nous a pris par surprise, disait-elle. Enfin, il y avait peut-être eu des signes, mais moi, je n'ai rien vu. J'étais à Dublin pour mes études, je ne rentrais pas aussi souvent que j'aurais dû et papa n'était pas du genre à faire des histoires pour sa santé…

Brianna resta stupéfaite de la facilité avec laquelle elle venait de confier à cet inconnu la culpabilité qui la hantait depuis la mort de son père. Il l'écoutait avec beaucoup de concentration — une attention très flatteuse mais déconcertante, aussi. La vie ne l'avait pas habituée à une telle sollicitude !

— Il a laissé beaucoup de dettes…

Une subite envie de pleurer la surprit. Elle battit des paupières, s'éclaircit la gorge, et réussit à se reprendre.

— Je crois qu'il s'est un peu laissé déborder quand il est tombé malade. Il n'a rien dit, je n'ai rien su ; heureusement, son banquier s'est montré très compréhensif, mais il a bien fallu que je continue à exploiter le pub, pour tout rembourser. J'ai essayé de vendre, mais je n'ai pas réussi. C'est une bonne affaire, pourtant, il y a beaucoup de passage en été, les vacanciers viennent pour les paysages, la pêche, les randonnées… Enfin, c'est tout de même très saisonnier, et puis il y a la crise. Mais je ne vous apprends rien. Vous allez sûrement devoir faire attention, vous aussi, maintenant que vous n'avez plus d'emploi.

Il se hâta de changer de sujet.

— Et depuis, vous restez ici. Sans amoureux pour partager le fardeau ?

— Non.

Elle détourna les yeux et se leva.

— Je vous fais votre petit déjeuner ? La tempête a l'air de s'installer. Je n'aurai sans doute personne aujourd'hui, mais si jamais des courageux s'aventuraient jusqu'ici, il faut que tout soit présentable.

Autrement dit, pensa-t-il, il y avait eu un homme, et cela s'était mal terminé. Machinalement, il se demanda ce qui s'était passé, si le garçon était le genre de *loser* qui se défile au premier obstacle, ou dès que sa compagne se retrouve en difficulté. Une bouffée tout à fait inattendue de colère le saisit, il en voulut à cet inconnu qui l'avait livrée à cette vie qui ne lui ressemblait pas. Une femme comme elle avait autre chose à faire que d'abattre les corvées d'un pub pour payer les dettes d'un mort ! Stupéfait du cours que prenaient ses pensées, il les stoppa net et se concentra de nouveau sur elle.

— Vous parliez sérieusement, quand vous proposiez de me donner un coup de main ? demanda-t-elle. Je ne veux pas profiter de votre gentillesse, mais si cela vous dit, vous pourriez essayer de déneiger l'allée, pour que mes clients puissent atteindre la porte quand la tempête sera calmée. Même si ce n'est pas pour tout de suite…

Elle s'approcha de la fenêtre et secoua la tête, les sourcils froncés.

— En fait, je ne sais pas quand vous pourrez repartir.

— Le temps finira bien par s'améliorer. Je ne peux pas me permettre de rester très longtemps.

— Vous pourrez toujours en profiter pour mettre une tempête de neige dans votre roman.

— C'est une idée.

Il alla la rejoindre à la fenêtre. D'ici, il sentait le parfum fleuri de ses cheveux. Elle les avait attachés en arrière, comme la veille au soir ; les doigts le démangeaient de les dénouer pour découvrir leur longueur, leur épaisseur. Notant qu'elle s'écartait discrètement de lui, il soupira :

— Je vais voir ce que je peux faire, pour la neige. Vous m'indiquerez où trouver le matériel.

Brianna se mit à rire et retourna à ses fourneaux. C'était plus sûr ! Car il lui faisait toujours autant d'effet à la lumière du jour — même la lumière grise de cette journée de tempête. C'était même incroyable qu'il la trouble à ce point.

— Le matériel, répliqua-t-elle, amusée, c'est une pelle et un gros sac de sable à répandre.

Elle lui servit son petit déjeuner ; dès qu'il eut terminé, elle lui donna les outils et ouvrit la porte d'entrée en se serrant étroitement dans sa grosse veste.

— Vous déblayez vous-même chaque fois qu'il neige ? cria-t-il dans la tourmente.

— Seulement si j'ai l'impression de pouvoir y arriver. Les premiers temps, j'y passais deux heures et la neige recouvrait tout en deux minutes. Dites, vous ne pouvez pas sortir avec ce jean, vous serez trempé. Vous n'avez pas de vêtements imperméables ?

Il éclata de rire.

— Je vais peut-être vous surprendre, mais je n'avais pas fait mes bagages en prévision d'une tempête de neige. Le jean devra suffire ; s'il se mouille, je le sécherai devant le feu.

De très bonne humeur tout à coup, Leo se mit à pelleter avec énergie. Il pensait à sa dernière petite amie, un top model qui trouvait la neige insupportable sauf si elle tombait à Saint Moritz. Elle n'aurait jamais envisagé, comme Brianna, d'empoigner une pelle pour dégager l'entrée d'un pub de campagne !

Il faisait du sport plusieurs fois par semaine, se considérait comme un type plutôt solide, mais il découvrit vite que le vrai travail manuel n'avait aucun rapport avec le confort d'une salle de sport suréquipée. Ici, c'était la nature à l'état brut. Une heure plus tard, il s'arrêta pour souffler, les épaules douloureuses… et réalisa que derrière lui, la piste étroite qu'il avait réussi à dégager se comblait déjà.

Sans gants, il avait les mains gelées, mais nom de Dieu, c'était bon ! Il réalisa tout à coup que pendant plus d'une heure, il avait complètement oublié ce qu'il était venu chercher ici. Tout son être s'était focalisé sur sa tâche.

La neige se calmait un peu. Accoudé à sa pelle, il contempla le paysage blanc avec l'impression vertigineuse de plonger dans l'infini. Une sensation très étrange s'empara de lui, un émerveillement paisible, à mille lieues de l'agacement qu'il avait éprouvé la veille devant la monotonie des champs. Il se remit au travail avec une ardeur renouvelée et s'y accrocha encore une grande demi-heure, malgré le vent qui reprenait de plus belle. Pour finir, il dut tout de même s'avouer vaincu. Quand il se replia dans la chaleur du pub, un grand feu rugissait dans l'âtre et des parfums délicieux lui parvenaient de la cuisine.

— Je me suis bien battu, annonça-t-il, mais la neige a gagné. Ne comptez pas voir de clients aujourd'hui, on ne peut pas faire trois mètres sans raquettes. Ça sent bon, dites !

— Je ne fais pas la cuisine pour les clients, habituellement.

Malgré son euphorie, il ravala un bref pincement d'irritation : les femmes qu'il fréquentait d'ordinaire se seraient battues pour avoir l'honneur de cuisiner pour lui, mais Brianna lui faisait bien sentir qu'elle n'avait pas le choix. Vexé, il lui rappela les termes de leur accord :

— Vous serez royalement récompensée pour vos efforts. Vous alliez me parler des habitants du village.

Elle leva vers lui ses yeux francs et limpides.

— Il n'y a pas grand-chose à dire… Mais il faut vous changer, vous êtes trempé ! Si vous me donnez vos vêtements mouillés, je les passerai à la machine, là-haut.

Comme il la regardait sans répondre, elle s'adossa au plan de travail en expliquant :

— J'ai un logement indépendant. Ce n'est pas grand, mais c'est là que j'ai grandi. Quand j'étais petite, les chambres du premier étaient souvent louées, je montais le thé ou le café aux clients. C'était beaucoup plus animé à l'époque, les gens avaient encore de l'argent à dépenser, ils prenaient plus facilement des vacances…

Elle semblait heureuse de se rappeler le bon vieux temps, mais Leo, lui, songea que cette existence étriquée l'aurait rendu fou. Pour la première fois, il comprit que si sa mère ne s'était pas débarrassée de lui, il aurait grandi dans ce village minuscule, avec ces gens qui se connaissaient depuis des générations. Mais sans le confort relatif du pub local : il aurait été élevé n'importe comment, dans un taudis, par la junkie du coin. Sa mère était forcément junkie ou alcoolique, car qui d'autre aurait l'idée d'abandonner son enfant ?

Sans se douter que le tableau qu'elle brossait le faisait frémir, elle proposa :

— Si vous voulez, je pourrais vous sortir des chemises de papa. J'en ai gardé pour moi. Ecoutez, je vais les laisser à la porte de votre chambre et vous me donnerez votre jean.

Brianna fouillait dans son armoire à la recherche des chemises de son père quand elle prit tout à coup conscience de sa solitude. Qu'un client retenu sous son toit par le mauvais temps ait besoin qu'on lui prête des vêtements, c'était une bien petite chose, mais quelle différence pour elle ! Quelle vie elle menait, à vivre au-dessus du bar en portant toute la charge de l'établissement sur ses épaules ! Les efforts de Leo pour déblayer l'allée lui réchauffaient le cœur. Elle souriait en dévalant les marches avec une brassée de chemises de flanelle et de sous-vêtements de coton épais.

Elle frappa un coup léger à la porte pour le prévenir que les vêtements l'attendaient ; elle se penchait pour les déposer sur une chaise quand la porte s'ouvrit. Surprise, elle tourna la tête… et découvrit des pieds nus, puis des chevilles, nues également, des mollets couverts de poils sombres… Elle aurait voulu s'arrêter là, mais son regard s'élevait malgré elle, remontait le long des cuisses minces et musclées… La bouche sèche, elle serra les chemises sur son cœur comme pour se protéger de l'effet que Leo produisait sur elle.

— C'est pour moi ? demanda-t-il en souriant.

Elle le contempla sans réagir, muette, les joues en feu. Amusé, il haussa un sourcil.

— C'est gentil de me dépanner. Vous les mettrez sur ma note ?

Il portait un caleçon, rien d'autre. Un caleçon moulant. Le cerveau de Brianna enregistra ce fait et resta paralysé d'admiration devant ces épaules larges, ces bras puissants, ce ventre plat, ces hanches minces… Il sortait de la douche, l'une des serviettes blanches de la maison négligemment jetée autour de son cou…

— Je vous donnerais bien la chemise aussi, ajouta-t-il. Si ça ne vous ennuie pas de tout passer à la machine ? Ce serait très gentil à vous, je n'avais pas prévu de faire des travaux manuels…

Comme une adolescente, elle battit des paupières, et remarqua enfin qu'il tenait son sac de linge sale à la main. Il semblait trouver son attitude assez comique ; aussitôt, elle se hérissa. De quel droit la prenait-il de haut, avec son regard de… Londonien ? Il se montrait très condescendant, depuis son arrivée, sur le sujet du village, sa taille minuscule, son isolement… Au diable son aura d'écrivain, il les méprisait, elle et les gens de Ballybay, et elle lui donnait des armes en le contemplant comme si elle n'avait jamais vu un homme nu de sa vie, comme s'il était l'être le plus intéressant à s'être jamais présenté à sa porte…

— Eh bien, vous auriez dû ! dit-elle froidement. Il faut être un peu naïf pour venir ici en plein hiver sans se préparer à trouver de la neige. Tenez…

Elle saisit le sac de linge sale et lui jeta ses chemises dans les mains.

— Pardon ? fit-il, incrédule.

Sans l'écouter, elle enchaîna :

— Je n'ai pas de temps ou d'énergie à perdre à faire

votre lessive toutes les deux minutes parce que vous n'aviez pas prévu qu'il ferait mauvais en février.

Elle détourna les yeux de sa poitrine et conclut :

— Et puis, couvrez-vous. Vous finirez par attraper la grippe et je n'ai aucune envie de jouer les infirmières !

Leo cherchait à se souvenir si une femme l'avait jamais traité de cette façon. Mais… non, jamais ! Il ne savait pas s'il devait se sentir outré ou éclater de rire.

— Message reçu !

Avec un large sourire, il s'appuya de l'épaule au montant de sa porte. La mission qui l'amenait ici n'avait rien d'agréable, mais à cet instant précis, face à la belle Irlandaise qui le foudroyait du regard, terriblement mal à l'aise, il s'amusait comme un fou. Il ajouta :

— Je ne suis jamais malade. Vous n'aurez pas à sortir votre blouse d'infirmière.

Quoique… l'idée avait son charme. Il s'autorisa à la détailler à loisir et murmura :

— Je descendrai dans quelques minutes. Encore merci pour les vêtements.

Brianna était toujours sur les nerfs quand il entra d'un pas tranquille dans la cuisine. Elle avait mis le couvert du déjeuner pour une personne, sur l'une des tables de la salle du pub. Comme elle ne l'avait pas entendu approcher, elle sursauta en entendant sa voix juste derrière elle.

— J'espère que vous ne comptez pas me laisser déjeuner seul ?

Elle se retourna d'un bond en brandissant la louche avec laquelle elle remuait un épais ragoût ; dès la première marche de l'escalier, l'arôme lui avait mis l'eau à la bouche. Sans lui laisser le loisir de répondre, il se mit à ouvrir des placards, laissa échapper un petit grognement de satisfaction en trouvant le bon au deuxième essai, et entreprit de disposer un second couvert.

— Nous allions parler, tous les deux, lui rappela-t-il.

Vous alliez me raconter la vie des gens d'ici pour me fournir des éléments pour mon livre.

Personnellement, l'idée d'un écrivain lâchant tout pour sillonner l'Irlande dans l'espoir d'y trouver l'inspiration pour son roman lui semblait tout à fait invraisemblable. Enfin, l'explication semblait convaincre Brianna, c'était le principal.

— Ensuite, promit-il, je ferai tous les petits boulots que vous me demanderez. Je n'ai qu'une parole.

— Il n'y aura pas grand-chose à faire, dit-elle, déjà à demi rassérénée. J'ai téléphoné à Aidan pour le prévenir que nous serions fermés jusqu'à la fin de la tempête.

— Aidan ?

— Un ami d'ici. Il fera passer l'information. Seuls mes habitués les plus fidèles envisageraient de venir par ce temps.

— Aidan, c'est le vieux chanteur ?

— Non, il a mon âge, nous étions à l'école ensemble.

Elle lui servit son ragoût, délicieusement parfumé, coupa du pain et lui proposa un verre de vin, qu'il refusa.

— C'est lui qui vous a brisé le cœur ? demanda-t-il. Non, sûrement pas, celui-là s'est éclipsé depuis longtemps, je me trompe ?

Elle se raidit, et il comprit qu'elle venait de réaliser qu'elle bavardait avec un client, un inconnu de passage. De toute évidence, elle ne lui confierait pas les détails de son histoire. Elle ne voudrait pas les voir intégrés à un roman sur l'Irlande profonde.

— Je ne crois pas vous avoir parlé d'une quelconque peine de cœur, articula-t-elle. Je ne pense pas que ma vie amoureuse vous regarde. J'espère que le ragoût vous plaît ? C'est une spécialité locale.

Donc, cela faisait encore mal, conclut Leo. Bon, inutile d'aller plus loin, ce n'était pas ce qu'il venait chercher ici. S'il était curieux… eh bien, c'était uniquement du fait de la situation tout à fait inédite dans laquelle il se trouvait, bloqué dans ce pub par la neige, condamné à un tête-à-tête qu'il n'avait pas choisi. Puisqu'ils étaient seuls tous les deux, il était logique qu'il s'intéresse à elle.

— Vous devriez proposer des repas, dit-il, vous feriez davantage de chiffre. Vous seriez surprise, les restaurants les plus isolés se remplissent si la cuisine est bonne.

Il plissa les yeux en examinant la question. On n'avait sûrement pas fait de travaux ici depuis une éternité, il faudrait juste retravailler un peu le décor — mais pas trop, ce pub avait beaucoup de charme… Puis il se ressaisit. Encore une fois, ce n'était pas son affaire !

— Bref, si vous n'avez pas envie de parler de vous, ce n'est pas un problème.

— Pourquoi ne pas parler de vous ? rétorqua-t-elle. Vous êtes marié ? Vous avez des enfants ?

— Si j'étais marié et papa, je ne serais pas ici.

Le mariage, les enfants ? Il écarta son bol vide, allongea confortablement ses longues jambes, et reprit :

— Parlez-moi donc du vieux qui aime tant chanter.

— Qu'est-ce qui vous a décidé à tout plaquer pour vous mettre à écrire ? riposta-t-elle. Renoncer à un bon job pour un pari aussi hasardeux, ce n'est pas une décision qu'on prend à la légère.

Il haussa les épaules. S'il trouvait désagréable de lui mentir, dans ce cas précis, la fin justifiait les moyens. De toute façon, elle ne saurait jamais qu'il s'était moqué d'elle ; à ses yeux, il resterait l'inconnu énigmatique qui était passé au pub un hiver, et qui était reparti avec quelques anecdotes de la vie locale. Il murmura :

— Il faut parfois savoir prendre des risques.

— Je ne me souviens même pas de la sensation, dit-elle avec cette franchise qui le charmait tant. Voilà des années que je me suis installée dans une routine — ou une ornière ? Bref, certains sont plus courageux que d'autres, conclut-elle avec un brin d'amertume.

De son côté, Leo crut qu'elle voulait qu'il continue à

l'interroger. Les femmes faisaient cela : elles lâchaient une miette d'information, comme par inadvertance, dans l'espoir d'éveiller sa curiosité. Mais il se ravisa. Pour une fois, son cynisme ne trouvait aucune prise, car cette femme-ci ne savait rien de lui ou de ses millions. A ses yeux, il n'était qu'un écrivain débutant, un tocard sans emploi. Il entrevit soudain ce que cela pouvait être de communiquer avec une femme sans se demander si elle s'intéressait à lui ou à son compte en banque. C'était le revers de la médaille, la malédiction de sa vie privilégiée : cette méfiance continuelle envers les gens. Comme il appréciait d'échanger, sans arrière-pensée, avec cette femme très belle et très sexy ! Savourant cette liberté inédite, il sourit et demanda :

— Et vous ne faites pas partie des gens courageux ?

Troublée par une envie subite de se confier, Brianna se leva et se mit à débarrasser la table. Pourquoi cet élan vers lui ? Etait-ce parce que, derrière ce visage trop beau et cette assurance déconcertante, il était aussi un artiste ? Et qu'un artiste devait forcément la comprendre ? A moins qu'elle ne soit déjà devenue l'une de ces femmes solitaires et un peu pathétiques qui déballent leur vie au premier venu ? Elle avait trop chaud, tout à coup… Quand il saisit son poignet, elle se figea, sous le choc.

Ses doigts sur sa peau… l'électrisaient. Comme si elle revenait à la vie ! C'était si bouleversant qu'elle eut envie de se dégager, d'effacer ce contact en se frottant le bras — en même temps, elle brûlait de prolonger ce contact entre eux. Déconcertée, elle se rassit ; aussitôt, il la lâcha.

— C'est difficile de prendre des risques quand on a des obligations, dit-elle d'une voix blanche.

Elle faisait un effort héroïque pour reprendre une conversation normale… à ceci près qu'elle ne parvenait plus à détourner les yeux de son visage.

— Vous, vous n'avez de comptes à rendre à personne.

Vous aviez probablement des économies ; le moment venu, vous êtes parti sans vous retourner. Moi, je commence tout juste à sortir la tête de l'eau sur le plan financier. Même maintenant, je ne pourrais pas tout simplement… passer mon chemin.

Elle se pencha un peu vers lui, comme pour se réchauffer à sa présence, et murmura :

— Je ferais bien de ranger un peu.

— Pour quoi faire ? Le pub sera fermé jusqu'à la fin de la tempête.

— Oui, mais…

— Vous devez vous sentir seule, parfois.

— Bien sûr que non ! J'ai une foule d'amis.

— Mais vous n'avez guère le temps de les voir.

Elle sentit une rougeur brutale envahir ses joues. Pas le temps de voir ses amis, pas même le temps de peindre. Il lui présentait une image… détestable de son existence. Comme si elle s'était engagée en somnambule dans une existence où se succédaient des jours tous semblables, ponctués de corvées immuables. Elle se força à reprendre pied dans la réalité. Qui était-il, finalement ? Juste un écrivain débutant qui cherchait des idées pour son livre… Il ne s'intéressait pas réellement à elle. Avec un rire un peu tremblant, elle se remit sur pied et emporta leur vaisselle vers l'évier.

— Je serai la vieille fille un peu pathétique, dans votre roman ? Vous devriez vous concentrer sur des personnages plus pittoresques.

Voilà, cela allait mieux. Dès qu'elle prenait un peu de distance, les émotions étranges qui venaient de la secouer s'évanouissaient. Cela ne lui ressemblait pas de se laisser troubler par un inconnu de passage. Beaucoup d'hommes lui faisaient des avances, des hommes qu'elle connaissait depuis toujours ou des clients de passage ; elle se contentait de rire avec eux et ils se décourageaient vite. Pas une seule fois elle n'avait suffoqué comme elle venait de le faire, comme s'il n'y avait plus d'oxygène dans la pièce. Comme si elle entrait en transe chaque fois que Leo s'approchait d'elle.

Elle s'affaira, aligna les gestes familiers, réconfortants du quotidien. Quand il voulut l'aider, elle refusa ; elle ne voulait même pas imaginer dans quel état elle serait s'il venait près d'elle devant l'évier ! Pour meubler, et aussi pour se donner le temps de se reprendre, elle se mit à raconter, un peu fébrile, la dernière grosse tempête de neige qui avait paralysé Ballybay. Un bon choix, car l'événement constituait un fonds particulièrement riche d'anecdotes ; bientôt, elle relatait en riant les événements insolites arrivés à ses voisins alors qu'ils restaient bloqués chez eux, jour après jour. Le bébé délivré par son papa terrorisé ; l'équipe de rugby au grand complet qui avait dû passer deux nuits au pub ; la générosité des gens d'ici quand il fallait s'entraider ; les paniers de nourriture que le vieux Seamus Riley hissait par une corde à la fenêtre de sa chambre, parce que sa porte d'entrée était bloquée par une énorme congère…

Leo l'écouta poliment, fasciné par la grâce de son long corps mince tandis qu'elle allait et venait dans la cuisine, rangeant, nettoyant… et s'arrangeant pour ne jamais le regarder en face.

— Oui, nous nous serrons tous les coudes dans les moments difficiles, dit-elle en se tournant un bref instant vers lui. Je suppose que ce n'est pas pareil à Londres ?

— Pas du tout, murmura-t-il distraitement.

Ces petits seins qui pointaient sous son chandail… portait-elle un soutien-gorge ? Ce serait sans doute un modèle très sage, en coton blanc. Qui aurait cru que la seule idée d'un soutien-gorge sage en coton blanc pourrait l'exciter à ce point ? Surpris par sa propre réaction, il faillit manquer le nom qu'elle venait de prononcer. Quand, avec un temps de retard, il réalisa ce qu'il venait d'entendre, il dut réprimer un sursaut.

— Désolé, dit-il d'une voix un peu enrouée, je n'ai pas saisi…

Il parlait avec toute la désinvolture dont il était encore capable. Quel crétin de s'être déconcentré juste au moment où…

— Je vous disais qu'à Ballybay, nous prenons soin les uns des autres. Par exemple quand mon amie, Bridget McGuire…

3.

Sa mère n'était donc pas l'ivrogne ou la junkie locale — enfin, à en croire Brianna. Incapable de tenir en place, Leo arpentait le salon désert où il s'était replié pour travailler. Dans un sens, ce roman qu'il était censé écrire avait son utilité : tant que le mauvais temps l'empêcherait de repartir, il lui permettait de rester devant son ordinateur le temps nécessaire pour gérer à distance son entreprise.

Trois jours étaient passés et la neige tombait toujours, drue, persistante. Parfois, le vent s'apaisait et il ne tombait plus que des flocons de carte postale, puis la tempête reprenait avec une fureur renouvelée. Chaque matin, quand Leo ouvrait la porte d'entrée, la trouée qu'il avait ménagée la veille était comblée.

Nerveux, il se planta devant la fenêtre. A presque 7 heures du matin, il faisait encore nuit noire, mais la lumière extérieure que Brianna allumait chaque nuit sous le porche lui ménageait un peu de visibilité. Il n'avait jamais eu besoin de beaucoup de sommeil ; une chance car ici encore moins qu'ailleurs, il ne pouvait pas se permettre de faire la grasse matinée. Pour compenser son absence, il devait multiplier les mails, prendre toutes sortes de décisions, annoter des rapports, sans que Brianna ne puisse soupçonner à quoi il occupait le plus clair de ses journées.

A 9 h 30 précises, il éteindrait son portable et reprendrait le combat contre les éléments : il fallait déblayer la neige chaque jour pour éviter que la porte ne soit complètement bloquée. Une approche assez nouvelle des sports d'hiver ! Il avait dit cela hier à Brianna, et elle était partie d'un rire adorable, en lui proposant de se bricoler une luge pour retrouver l'enfant qui était en lui. Il souriait en passant dans la cuisine, pour se faire un café. Cela lui arrivait souvent quand il pensait à elle.

Quant à Bridget McGuire, sa… mère, elle était à l'hôpital où elle se remettait d'une crise cardiaque. Une crise mineure, et sa convalescence se passait bien.

— Elle aurait dû sortir la semaine dernière, lui avait confié Brianna, mais ils ont préféré la garder à cause de la neige. Elle vit seule, vous comprenez, elle n'aurait personne pour s'occuper d'elle.

Où donc était passée la clocharde qu'il s'attendait à rencontrer ? Bon, elle avait vraisemblablement été tout cela, et peut-être pire encore…, mais une fois sortie du caniveau, elle évitait sûrement de parler de son passé. Surtout à une fille comme Brianna, qui semblait l'avoir adoptée comme seconde maman. Car la chère Bridget n'était pas d'ici, à l'origine : elle ne s'était installée dans le voisinage que quelques années auparavant, et personne au village ne savait rien de sa vie.

Mentir, c'était facile, il était bien placé pour le savoir — mais il était tout de même assez perplexe, car les récits que lui faisait Brianna ne correspondaient pas du tout à ses idées préconçues. Coincé comme il l'était, il ne pouvait encore rien faire, mais entendait bien pousser plus loin ses investigations. Pas question de se fier aveuglément au jugement d'une femme qu'il connaissait à peine, aussi charmante soit-elle. Non, il verrait par lui-même. Il avait prévenu son assistante qu'il prolongeait son absence. Le matin même, il s'était résigné à ne pouvoir donner aucune date pour son retour.

La neige finirait bien par s'arrêter. Dès qu'il pourrait

circuler de nouveau, il trouverait un moyen de provoquer une rencontre avec Bridget. La difficulté, c'était encore ce problème de santé qui l'avait envoyée à l'hôpital ; quand elle sortirait, elle devrait sans doute garder la chambre. Lui qui détestait attendre !

Son statut d'écrivain créait une difficulté supplémentaire. Brianna finirait forcément par l'interroger sur son fameux roman. Il n'allait tout de même pas inventer un sujet ? Avec le recul, il commençait à se dire que de toutes les occupations qu'il aurait pu trouver, il avait choisi la pire. Voilà des années qu'il ne lisait plus, ou exclusivement des textes de droit, des rapports financiers, l'historique des entreprises qu'il envisageait d'acquérir. Comment ce projet si simple était-il devenu aussi confus ?

Le pas de Brianna dans l'escalier… Malgré lui, il tendit l'oreille… et se détourna, excédé. Encore une complication ! Peu à peu, cette femme dont tout le séparait envahissait ses pensées. Lui qui croyait se lasser de sa présence, c'était tout le contraire qui se passait : il se surprenait à la suivre des yeux, à s'interroger à son sujet, à fantasmer sur elle… Parti d'une simple appréciation de sa beauté fraîche et naturelle, il sentait monter une fièvre sournoise, son côté rationnel s'effaçait… Et pourtant, une petite voix lui soufflait de ne pas se hasarder sur ce terrain !

Non seulement elle ne savait pas qui il était vraiment, mais elle était fragilisée par la mauvaise expérience dont elle refusait de parler. En surface, elle se présentait comme une femme sûre d'elle-même, audacieuse même ; derrière cette façade, il percevait une réelle vulnérabilité — et il mesurait les risques liés à la fréquentation des femmes trop vulnérables. Tout cela était si évident — alors pourquoi sa libido refusait de se montrer raisonnable ?

— Vous travaillez trop ! lança gaiement Brianna en guise de bonjour.

C'était agréable de trouver le café tout fait en descendant ! Brianna alla se servir en songeant qu'elle pourrait facilement s'habituer à ce petit luxe... comme elle pourrait s'habituer à la présence de Leo. Peut-être devrait-elle envisager de rétablir un peu de distance entre eux... C'était cette tempête, ce tête-à-tête, jour après jour, qui les avait rapprochés. Elle l'avait prévenu les premiers jours qu'elle ne ferait pas sa lessive ; aujourd'hui encore, il portait un jean lavé par ses soins, avec une chemise de flanelle de son père...

Il lui rendit son sourire un peu vaguement — il semblait avoir la tête ailleurs — et murmura :

— Croyez-moi, j'ai déjà travaillé beaucoup plus dur.

— Je me disais que dans votre entreprise...

— Mon entreprise ?

Les mots avaient claqué — tiens, sa démission était encore un point sensible ? Elle sourit, n'insista pas ; il se détendit aussitôt, manifestement un peu gêné par sa propre réaction. Il y eut un bref silence tandis qu'elle goûtait son café, puis elle hasarda :

— Vous n'avez pas dit grand-chose sur votre roman. Je suis peut-être indiscrète, je sais que ce n'est pas facile d'exposer son travail avant qu'il ne soit terminé, mais vous devez être assez avancé, non ? Vous commencez très tôt, vous y revenez à différents moments de la journée. Vous ne semblez jamais à court d'inspiration.

— Oh ! pas tant que ça. On peut écrire deux chapitres dans la matinée, et décider de tout effacer. Quoique...

Instinctivement, il tourna son regard vers son ordinateur fermé et conclut :

— ... je dois dire que j'ai été assez productif, ce matin. Dites, pendant que j'y pense, vous auriez des livres à me prêter ? Je ne me doutais pas que je serais ici si longtemps, je n'ai rien à lire...

Une idée assez dérangeante venait de s'imposer à Leo. Le travail, rien que le travail... quand s'était-il enfermé dans un cadre aussi étroit ? Il avait des loisirs, bien sûr, il sortait, se détendait à la salle de sport, passait d'excellents moments avec de très belles femmes…, mais son activité professionnelle passait toujours en premier. Il était un peu choqué de réaliser qu'il n'avait pas ouvert un roman depuis des années, qu'il n'allait plus au cinéma, regardait très rarement la télévision, à part un match de temps en temps. Quant au théâtre, il ne participait qu'à des soirées organisées par l'entreprise, au cours desquelles il ne cessait de penser à ce qu'il pourrait accomplir s'il était à son bureau…

— J'ai des livres, bien sûr, vous pourrez vous servir. Et… j'aimerais vous montrer quelque chose.

Il la regarda sortir sans réagir, et se remit à arpenter la pièce. Il avait besoin d'action ! Que faire, rentrer du bois pour les cheminées ? Brianna perdait sûrement de l'argent avec la fermeture inopinée du pub ; il devrait peut-être proposer de jeter un coup d'œil à sa comptabilité ? Non, elle pourrait mal le prendre, et quelle raison donner… ?

— Voilà…

Elle était revenue sans qu'il l'entende. Il se retourna et demanda :

— Que tenez-vous derrière votre dos ?

Il la vit inspirer à fond ; au prix d'un effort visible, elle lui tendit un petit tableau. Surpris, il le détailla. Le lac en été, un pêcheur au premier plan, de dos, penché comme s'il tendait l'oreille pour deviner l'approche du poisson…

— Moi non plus, je n'aime pas montrer ce que je fais, confia-t-elle tout bas. Je comprends très bien que vous n'ayez pas envie de parler de votre roman.

Stupéfait, il vint lui prendre le tableau des mains et tendit les bras pour prendre du recul.

— C'est vous qui… ?

— Qu'est-ce que vous en pensez ?

— Je pense que vous perdez votre temps à tenir un pub !

Pour la première fois de sa vie, il ne trouvait plus ses mots. Il avait des tableaux chez lui, bien sûr. Des œuvres de peintres cotés ; il avait investi des sommes importantes dans le marché de l'art. Cette petite toile n'était pas un chef-d'œuvre mais elle avait un charme fou, une vitalité saisissante. Elle trouverait forcément preneur.

— Pourquoi vous ne les vendez pas ?

— Je ne produis pas assez, soupira-t-elle avec tristesse.

Elle vint se planter près de lui ; ensemble, ils contemplèrent le petit tableau… Quand il le posa sur la table, elle réalisa qu'elle se tenait tout près de lui, et qu'il se tournait vers elle…

Leo leva la main… et la glissa dans la cascade fabuleuse des boucles de Brianna. C'était la première fois qu'il voyait sa crinière dénouée. Au premier contact de sa douceur de soie, toutes ses bonnes résolutions passèrent à la trappe. Jamais il n'avait désiré une femme comme il la désirait. Il ne comprenait pas pourquoi, se fichait d'expliquer cette attirance. Il avait l'habitude d'assouvir très vite ses désirs ; en contemplant le visage pur levé vers le sien, il se demanda seulement comment il était parvenu à se retenir si longtemps. N'avait-il pas senti, dès le premier soir, qu'il lui plaisait ? Il s'assit sur le bord de la table et l'attira dans ses bras.

Brianna laissa échapper un long soupir muet. Sa peau la brûlait, là où les mains de Leo se posaient sur elle. Jamais elle n'aurait imaginé se sentir si… liée à un homme qu'elle voudrait lui tomber dans les bras au bout de trois jours. Il ne mesurait sûrement pas quel geste de confiance elle venait de faire en lui montrant son tableau. Elle se sentait bien avec lui, si bien ; ses premiers soupçons, quand elle se demandait ce qu'un homme comme lui venait chercher parmi eux, n'étaient plus qu'un souvenir.

Providentielle tempête de neige qui les avait bloqués

ici tous les deux… En un temps très bref, elle avait baissé sa garde, s'était mise à apprécier son humour, son intelligence, sa capacité de concentration et de discipline. Elle n'avait jamais rencontré un homme comme lui, cultivé, ayant beaucoup voyagé, pouvant parler d'une foule de choses. Aucun rapport avec Danny Fluke ! En revanche, elle ne s'attendait pas du tout à…

— Qu'est-ce que vous faites ? murmura-t-elle.

— Je vous touche. Vous voulez que j'arrête ?

— Mais c'est fou.

— Pas fou, non. Peut-être un peu risqué.

— Mais je ne vous… connais pas.

Elle ne croyait pas si bien dire, pensa Leo. Et pourtant, bizarrement, elle en savait davantage sur lui qu'aucune des femmes qui avaient partagé sa vie. Mais l'heure n'était pas aux interrogations. Il la voulait dans son lit.

— Je ne vois pas le rapport, murmura-t-il à son oreille, content de la sentir frémir.

Quand il glissa la main sous son pull pour caresser sa taille, Brianna sentit toutes ses objections s'évanouir. Elle ne savait plus qu'une chose : si elle reculait maintenant, elle le regretterait toute sa vie. Consciente de commettre une folie, elle noua les mains derrière la nuque de Leo et lui offrit ses lèvres. Le baiser commença doucement, comme on explore un territoire inconnu — et se fit peu à peu plus passionné. Sans quitter sa place au bord de la table, il écarta ses longues jambes ; elle se glissa entre elles et, pressée contre lui, sentit son sexe durci.

— Vous pouvez encore me dire d'arrêter, articula-t-il contre ses lèvres.

Si par malheur elle s'avisait de le prendre au mot, que ferait-il ? Sortir courir dans la neige ? Pas sûr que cela suffise à le calmer. Poussant son avantage, trouva la fermeture du soutien-gorge, la défit délicatement ; elle cessa de respirer. Pour ne pas la brusquer, il posa la main sur l'un de ses petits seins ; un profond frisson la secoua quand il l'effleura du pouce. Elle tremblait littéralement de désir entre ses bras.

C'était tout de même stupéfiant : il savait qu'il ferait mieux de s'abstenir et en même temps, il avait le sentiment de faire les seuls gestes possibles. Perdait-il son sens des réalités, enfermé ici dans ce petit pub perdu ? Manquait-il de distractions au point de ne plus pouvoir se contrôler ? Et puis il y avait ce fichu mensonge, lancé au hasard pour expliquer sa présence, et qui commençait à lui peser. Si jamais elle apprenait… Mais elle ne saurait jamais, bien sûr. Pourtant, il tint à faire une dernière mise en garde.

— Je ne serai plus ici très longtemps, murmura-t-il contre ses lèvres. Je ne suis que de passage.

Dans un éclair, Brianna revit le dernier homme avec qui elle avait fait l'amour : Danny, son unique amant. Cette fois, il n'y aurait pas de malentendu, ce serait juste une aventure. Une expérience tout à fait nouvelle pour elle, mais… pourquoi pas ?

— Je ne cherche pas une relation stable,ajouta-t-elle en retour. Si on arrêtait de parler ?

— Avec plaisir, gronda-t-il, sa conscience enfin au repos. Je crois bien que j'ai eu envie de toi dès le premier matin.

Il encercla sa taille menue de ses mains, releva son pull en entraînant aussi le soutien-gorge. Cambrée, elle ferma les yeux en laissant échapper un petit son, tout de suite ravalé. Chaque terminaison nerveuse de son corps se tendait vers lui. Quand elle sentit sa bouche chaude et humide se refermer sur son mamelon, le choc lui arracha une plainte sourde. D'elles-mêmes, ses mains plongèrent dans les beaux cheveux noirs de Leo et, elle se cramponna à lui pendant qu'il embrassait, léchait, suçait ses seins dressés. Puis elle le sentit s'écarter ; le cœur battant, elle ouvrit les yeux ; il la contemplait avec la concentration totale qu'il avait eue pour étudier son tableau.

— Je veux te voir, dit-il d'un ton brusque.

Leo n'en revenait pas. Jamais encore son corps n'avait répondu si vite à une femme : il était déjà à deux doigts du plaisir. Il voulait savourer ce moment, sans brûler les étapes ; il inspira à fond, ferma les yeux..., mais il voyait toujours ces petits seins nus, adorables, couronnés de larges corolles roses encore luisant de sa salive...

Je vais enfin pouvoir le toucher ! pensa Brianna. Cette idée la rendait folle. Elle hésita encore un instant puis, pressée tout à coup, elle palpa le contour de ses épaules puissantes, sa poitrine, ses flancs. Ce corps superbe, découvert le premier jour quand il était sorti presque nu de sa chambre pour prendre les chemises qu'elle lui apportait — était à elle, elle pouvait en faire ce qu'elle voudrait. Il l'interrompit en grondant :

— Je ne veux pas te faire l'amour ici.

Sans autre forme de procès, il la souleva dans ses bras comme une plume, et l'emporta dans l'escalier. Au premier étage, il hésita un bref instant devant la porte de sa chambre, et s'engouffra dans l'escalier qui menait à son logement à elle. Il n'osait même pas baisser les yeux : s'il voyait ses seins, il la prendrait ici même, sur les marches. La violence du désir le heurtait un peu : ce n'était pas *cool* du tout, pas du tout son style. Il trouva la chambre, y jeta un bref regard et lui ordonna de ne pas bouger.

— Où est-ce que j'irais ? répliqua-t-elle avec un petit rire.

Elle se releva sur un coude pour le regarder se déshabiller. Chaque fois qu'un vêtement tombait, elle sentait son cœur s'emballer ; bientôt, elle dut fermer les yeux, le souffle court.

Leo ne s'attendait pas du tout à cette sensualité joyeuse, franche et désinhibée. Le regard brillant que Brianna braquait sur lui décuplait son désir. Il prit tout son temps pour retirer son jean, pour le plaisir de la regarder le regarder. Par-dessus tout, il savoura son petit hoquet quand il laissa choir son caleçon et s'avança vers elle.

Brianna se redressa brusquement, le corps en feu. Elle ne se reconnaissait plus…, mais elle se plaisait, aussi, dans ce rôle ! Elle s'entendit soupirer, puis gémir quand le matelas se creusa sous le poids de Leo, quand ses mains commencèrent à la déshabiller.

— Magnifique…

Il l'embrassa, un baiser intime, exquis, traçant le contour de sa bouche du bout de la langue avant de la glisser dans son cou. Haletante, elle renversa la tête en arrière pour mieux savourer la sensation.

Chaque son, chaque soupir, chaque mouvement montrait à Leo combien elle le désirait. C'était excitant de la sentir emportée, irrésistiblement, par le désir. Cette peau souple et lisse, ce corps délicat, long et menu… Il revint à ses seins, s'étourdit du plaisir de les embrasser, heureux de la sentir se tordre sous lui, de sentir ses ongles sur la peau de son dos. Il adorait sa façon de se cambrer, offerte. Sans relever la tête, il laissa sa main caresser son ventre plat, faire le tour de son nombril, descendre plus bas, écarter doucement ses cuisses. Une tension momentanée la figea ; il l'embrassa de nouveau pour l'apaiser.

— Chut…, murmura-t-il d'une voix enrouée. Tout va bien.

— Ça fait… longtemps.

Il releva la tête et leurs regards se heurtèrent, vert et noir.

— Longtemps, ça veut dire… ?

— Je n'ai couché avec personne depuis… Enfin, disons que ça fait des années.

Brianna détourna la tête, un peu humiliée. C'est que le temps l'avait trahie ! D'abord, il y avait eu la rupture avec Danny, puis la mort de son père, les soucis financiers, sa vie brutalement déviée de sa trajectoire… Les jours s'étaient succédé, les années envolées et elle était toujours ici.

Leo fit taire la petite voix intérieure qui lui demandait s'il n'était pas en train de profiter d'elle. Non, bien sûr que non, décida-t-il en ramenant vers lui son visage qui se dérobait pour poser un baiser sur ses lèvres : il avait été tout à fait clair, elle comprenait qu'il ne resterait pas. Elle ne savait ni qui il était ni ce qu'il venait chercher ici, mais ce n'étaient que des détails ; pour l'essentiel, elle savait où se situer.

— Je ferai attention, promit-il tout bas.

— Je suppose que tu as eu… beaucoup de maîtresses ?

— Je n'ai pas fait vœu de chasteté.

Quand il glissa un doigt au cœur de sa féminité, elle cessa de lui poser des questions. Les paupières blanches retombèrent sur ses iris verts et elle commença à onduler sous sa main avec une plainte sourde. Une femme merveilleuse… Il aurait pu jouer avec son corps pendant des heures sans jamais se lasser. Il la sentit se raidir quand il enfouit son visage dans la toison douce, entre ses cuisses. Il respira son parfum de musc et de miel, la goûta du bout de la langue et devina, sans savoir comment, qu'elle faisait cette expérience pour la première fois. Cette idée l'excita tant qu'il joua les virtuoses ; quand elle gémit en se débattant, il plaqua les mains sur ses cuisses et les ouvrit largement pour mieux la goûter.

Brianna n'avait jamais rien connu de pareil. Son corps entier se consumait de désir. Il *fallait* qu'il continue, et pourtant elle mourait d'envie d'un corps à corps ; elle voulait sentir son poids sur elle, le sentir au plus profond de son corps. Eperdue, elle tira ses cheveux pour le ramener vers elle — en vain. Sa tête sombre demeura entre ses jambes, ses solides mains bronzées sur la chair laiteuse de ses cuisses… et elle faillit basculer dans le plaisir.

Etaient-ce ses années d'isolement frileux qui la rendaient si prête à vibrer ? Quand il se redressa, elle était si près du gouffre qu'elle dut serrer les paupières pour ne pas basculer.

— C'est bon ?

Il souleva une longue mèche cuivrée pour chuchoter à son oreille. Les joues roses, les yeux noyés, le souffle haletant, elle était l'image même de la passion… Elle le rendait fou. Elle fit oui de la tête, se redressa à demi pour l'embrasser éperdument sur la bouche et l'attira sur elle. Quand elle prit son sexe, il haleta.

— Un préservatif… Mon portefeuille.

Il se penchait déjà hors du lit, fouillait les poches de son jean abandonné sur le plancher, en sortait un petit étui. Comment faisait-il pour rester lucide dans un moment pareil ? Elle-même était aveuglée par son désir d'être enfin pénétrée, emplie…

— Tu es bien préparé…

Impatiente, elle le renversa en arrière et se jucha à califourchon sur lui.

— Je sais que tu repartiras, chuchota-t-elle, et c'est très bien comme ça.

Elle s'interrompit un bref instant en se demandant si elle disait réellement la vérité. Oui !

— J'ai besoin de faire l'amour, ajouta-t-elle en se penchant, le derrière provocant, pour couvrir la bouche de Leo de la sienne. Mais la dernière chose que je voudrais serait de risquer une grossesse.

— Tu ne voudrais pas te retrouver coincée avec un loser comme moi ?

Il rit en lançant ces mots qu'il n'aurait jamais imaginé prononcer un jour — puis il oublia tout, empoigna ses hanches et se glissa en elle d'une poussée, en s'enfonçant jusqu'à la garde.

Un éclatement de plaisir… Enfin, il allait et venait au plus profond d'elle. D'une détente, il la fit basculer, la couvrit de son corps puissant, irrésistible, beau à couper le souffle, le mâle alpha dans toute sa splendeur… et la jouissance éclata en elle avec une telle intensité que son corps entier se convulsa. Les larmes lui montèrent aux yeux, elle planta ses ongles dans les reins de Leo — et le sentit exploser à son tour.

Pour l'amour du ciel… Cela n'avait jamais été aussi bon. Après ces années de chasteté, remplies par les corvées et les soucis, sa sensualité s'exprimait enfin, irrésistible. Elle n'avait jamais été comme cela avec Danny — mais elle était aussi beaucoup plus jeune. La passion, cela venait donc avec les années ?

— Je vois…, lâcha Leo d'une voix caressante.

Il roula sur le flanc en l'attirant vers lui ; pressée contre lui, elle lui sourit, heureuse de sentir que lui non plus n'avait pas envie de s'écarter d'elle.

— Je vois, répéta-t-il : tu te sers de moi pour sortir d'une période de pénurie.

Il glissa la cuisse entre ses jambes.

— Je n'ai jamais dit ça, murmura-t-elle.

— Ce n'était pas nécessaire…

Elle rit tout bas.

— Ce n'est pas faux. D'accord, je me sers de toi. C'est bien mon tour, je ne me suis pas beaucoup amusée ces dernières années. Oh ! je ne me plains pas, c'était important que le pub continue à vivre, mais ce n'était pas… ce que je comptais faire de ma vie.

— Et que comptais-tu faire ?

— A l'âge que j'ai aujourd'hui, je me voyais mariée, avec un ou deux enfants et une carrière de peintre. La carrière n'a jamais décollé…

— Et le mariage et les gosses, c'était avec le type qui t'a laissée tomber ?

— C'est bien le mot, il m'a laissée tomber.

Cela, Brianna n'avait jamais pu l'admettre. Depuis, elle s'était toujours protégée..., mais ce matin, elle se retrouvait dans les bras d'un client de passage, et sa peau contre la sienne réveillait toute l'excitation qui venait seulement de s'apaiser. Stupéfaite, elle se rendit compte qu'elle ne se souvenait plus du visage de Danny. Et aussi qu'elle se fichait totalement de savoir ce qu'il avait pu devenir. Comment ce garçon imbu de sa personne avait-il pu jouer un rôle si central dans sa vie !

— Je n'étais pas assez bien pour lui.

Cette pensée qui l'avait toujours humiliée ne suscitait plus en elle que de la colère. Tout à coup, elle se sentait libre de tout dire, tout exprimer.

— Nous sommes sortis ensemble à l'université. Nous étions bien, tous les deux, pas un nuage à l'horizon, il n'y avait aucune raison pour que cela s'arrête ; j'ai vraiment cru que nous allions faire notre vie ensemble. Seulement, son diplôme en poche, il m'a informée que je n'étais qu'une solution temporaire, en attendant mieux. J'ai appris, presque en même temps, que papa était malade et que l'homme que je croyais aimer se servait de moi. Toi, au moins, tu as été tout à fait franc.

— Tout à fait franc ? répéta-t-il avec une expression curieuse.

— Oui, dit-elle avec force. Tu vas repartir. Nous deux, c'est juste en passant. Personne ne se fait d'illusions. J'apprécie.

— Avant de me mettre sur un piédestal et de briquer mon auréole, je te signale que tu ne sais presque rien de moi.

— J'en sais suffisamment.

— Tu n'as guère de points de comparaison. Je peux être un vrai salaud quand le besoin s'en fait sentir.

Elle éclata de rire, un rire délicieux, frais et joyeux, et se blottit contre lui — un geste qui déclencha en lui une foule de sensations exquises. Il s'écarta un peu pour la dévisager d'un air grave.

— Ce type t'a blessée. Tu as passé des années enterrée ici, à travailler comme un forçat, sans petit ami, sans distractions, en trouvant à peine une heure ou deux pour peindre. Et tu me vois débarquer… Je ne suis pas ton preux chevalier, Brianna.

— Je n'ai jamais dit ça !

Elle s'écarta de lui, vexée, déconcertée aussi par son regard implacable — par ce visage qu'il lui montrait tout à coup et qu'elle n'avait jamais soupçonné.

— D'après mon expérience, assena-t-il, ce que disent les femmes et ce qu'elles pensent, ça fait deux. Je ne m'attarderais pas même si je vivais tout à côté, Brianna. Je ne pratique pas le long terme.

— Qu'est-ce que ça veut dire, « je ne pratique pas le long terme » ?

— Exactement ce que ça dit. Je tiens à te prévenir : ne fais pas l'erreur de t'attacher à moi. Entre nous, c'est purement physique.

Devant son regard vert, stupéfait et outré, il se radoucit enfin ; ce fut d'une voix presque tendre qu'il conclut :

— Et ça fonctionne, à cet instant précis.

Mais c'était bien davantage ! Et leurs discussions ? Leurs moments de connivence ? Brianna sentit pourtant qu'elle ne devait rien dire — et puis, elle n'avait aucune envie de débattre avec cet homme froid qu'elle ne reconnaissait plus. Elle se dégagea de ses bras en lançant, glaciale :

— J'aimerais que tu arrêtes de me traiter comme une gosse. J'ai été très jeune et très stupide, mais je ne répéterai pas deux fois la même erreur. Et si tu crois que je vais me jeter à la tête d'un homme qui passe son temps à arpenter les routes d'Irlande, tu as perdu la tête ! Quand je craquerai, ce sera pour quelqu'un qui n'aura pas peur de s'engager. Je te félicite pour ta franchise, mais tu n'as rien à redouter de moi. Tu peux garder ta précieuse indépendance.

— Dans ce cas, pourquoi t'écarter de moi ?

— Parce que je n'aime pas le ton que tu viens de prendre.

— Tant que c'est le ton et pas le contenu…

Il dit cela avec gentillesse, en la reprenant dans ses bras. Elle voulut le repousser, mais son geste était voué à l'échec : dès qu'elle plaqua la main sur sa poitrine, une vague de désir s'enfla en elle, la laissant sans force. Et déjà, la main de Leo caressait sa hanche, sa cuisse… Elle s'abandonna en oubliant la froideur de ses yeux, la dureté subite de sa voix. Ils firent de nouveau l'amour, lentement cette fois, chacun explorant le corps de l'autre, buvant ses gémissements ou ses soupirs de plaisir. Il lui semblait qu'elle n'en aurait jamais assez de ses mains sur ses seins, de son corps arc-bouté contre le sien, de sa voix à son oreille qui l'encourageait à lui dire ce qu'elle voulait et lui expliquait en détail ce qu'il attendait d'elle.

Bien plus tard, elle somnolait, comblée, quand son portable sonna. Elle faillit décider qu'elle était trop bien pour décrocher — puis, avec un soupir, tendit tout de même la main vers le petit appareil posé sur la table de chevet. Dès qu'elle reconnut la voix au bout du fil, elle se redressa.

La joue sur l'oreiller, Leo suivit les expressions fugaces qui se succédaient sur son visage. Son sixième sens captait une tension nouvelle chez elle, mais ses réponses brèves n'expliquaient rien. Puis elle raccrocha, en gardant son portable au creux de sa main.

— Vous vous souvenez de l'amie dont je vous ai parlé, Bridget McGuire ? demanda-t-elle.

Alerte rouge ! Il se raidit, mais réussit à maintenir une expression à peu près neutre.

— Le nom me dit quelque chose…

— C'était l'hôpital, ils ont besoin de trouver une autre solution pour elle. Il y a eu un mauvais carambolage sur la nationale et ils vont avoir besoin de tous les lits. Elle sort demain. Je vais la prendre ici, avec moi.

4.

— Elle vient ici demain ?

Leo se glissa hors du lit et alla se planter devant la fenêtre, face au paysage blanc et gris. Il ne savait pas lui-même ce qu'il ressentait. Un refus, d'abord… pourtant, c'était bien pour cela qu'il était venu, pour cela qu'il faisait semblant d'être quelqu'un d'autre. Lui qui se demandait comment il pourrait organiser une rencontre sans tomber le masque… demain, on lui livrerait sa mère à domicile. Le destin faisait parfois bien les choses…

Assise dans le lit, la couette tirée jusqu'au menton, Brianna le regardait, perplexe. De très loin, il l'entendit expliquer :

— Pour l'instant, ils la transfèrent dans un autre service. Demain, si la neige le permet, ils l'amèneront ici. Il y a un problème ? Son arrivée ne changera rien pour toi, j'ai trois chambres libres… D'ailleurs non, je vais l'installer au second, près de moi. Tu remarqueras à peine sa présence.

Tandis que le choc initial s'estompait, Leo s'en voulut de n'avoir pas su cacher à quel point la nouvelle le troublait. Il prit sur lui, revint vers elle en souriant. Ce mépris furieux qu'il ressentait chaque fois qu'il pensait à sa mère biologique, il devait le réprimer tant qu'il serait sous ce toit. Ils n'étaient pas du tout du même avis, Brianna et lui, pour ce qui concernait Bridget McGuire ! Il tenait pourtant à se montrer juste, à réserver son jugement, mais il n'était pas facile de renoncer aux préjugés de toute une vie. Il se glissa dans le lit et reprit Brianna dans ses bras en murmurant :

— Puisque nous allons avoir de la visite, dis-moi déjà à quoi je dois m'attendre…

Un peu préoccupée, Brianna mettait la dernière main à leur petit déjeuner. Leo était revenu deux fois à la charge, après qu'elle lui eut brossé un portrait rapide de Bridget. Elle se faisait des idées, ou il manifestait un intérêt un peu insolite pour son amie ? Enfin, un intérêt, ce n'était pas le mot. Ses questions n'étaient pas insistantes, il semblait à peine s'intéresser à la réponse…

Et si… Et si l'attitude de Leo n'avait rien à voir avec Bridget ? S'il était contrarié que l'on vienne interrompre leur tête-à-tête ? Il ne faisait que passer, il s'était montré très clair sur ce point, mais… si sa réaction trahissait une pulsion possessive ? S'il avait envie, inconsciemment peut-être, de l'avoir toute à lui ? Il refusait de s'engager, pour des raisons qu'il était seul à connaître, mais si ce n'était qu'une habitude, si, au fond de lui… ?

Au prix d'un effort, elle stoppa net le cours de ses pensées. Surtout, ne pas s'emballer. La suite dirait ce qu'il souhaitait vraiment, entre-temps, il fallait juste profiter de l'instant. Leo ne voulait pas l'admettre, mais en quelques jours, ils avaient appris à se connaître très intimement. Une routine très agréable s'était mise en place : le matin, pendant qu'elle se plongeait dans les comptes et les commandes, il écrivait ; ensuite, pendant le plus gros de la journée, ils… échangeaient. Il avait même jeté un coup d'œil à la comptabilité du pub, et trouvé plusieurs idées pour améliorer sa situation financière ; il la conseillait aussi sur la création d'un site web pour présenter ses tableaux. Elle se surprenait à lui dire des choses qu'elle n'avait encore dites à personne, pas même à ses meilleurs amis. Il était si doué pour l'écoute !

Elle avait aussi glané quelques éléments sur lui, même s'il parlait très peu de sa vie. Ils étaient tous deux enfants uniques, avaient tous deux perdu leurs parents ; ils riaient des mêmes choses et quand ils se disputaient la télécommande, le soir, dans le petit salon habituellement réservé aux clients et qui était devenu leur domaine, c'était comme s'ils se connaissaient depuis toujours. C'est pourquoi elle ne serait pas étonnée qu'il redoute l'arrivée de Bridget, qui romprait le charme de leurs moments à deux ?

Avec un soupir, elle se décida à prendre la décision qu'elle repoussait depuis deux jours : le moment était venu de rouvrir le pub. Si l'ambulance pouvait venir déposer Bridget à sa porte, rien n'empêchait les habitués de franchir de nouveau le seuil. Autrement dit, même sans l'arrivée de Bridget, Leo et elle auraient désormais beaucoup moins de temps ensemble.

Elle en était là de ses pensées quand il la rejoignit. Pensive, elle lui tendit une assiette d'œufs au bacon et de pain grillé en murmurant :

— Je me disais que je devrais peut-être fermer le pub encore une quinzaine de jours… Jusqu'à ce que la neige ait à peu près fondu, histoire que personne ne risque une mauvaise chute en venant ici.

Ce n'était pas un argument très logique… mais elle pouvait bien s'accorder des vacances, après tout ! Ce seraient les premières depuis le long week-end à Dublin avec des amis, l'été précédent. Elle n'allait tout de même pas rester éternellement dans son pub, pendant que les autres se relaxaient au soleil en Espagne ou au Portugal ? Oui, elle s'accorderait un peu de bon temps ! Une quinzaine, cela ne suffirait pas à la couler financièrement — enfin, pas tout à fait — et elle se rattraperait aux beaux jours, avec les touristes. Leo lui avait aussi suggéré de créer un site pour faire connaître le pub, espérant qu'elle pourrait augmenter son chiffre en apportant quelques changements mineurs... Les affaires allaient s'améliorer !

— Ce serait aussi mieux pour Bridget, ajouta-t-elle.

Elle ne voulait surtout pas s'avouer que son idée se résumait à une envie de garder Leo tout à elle un peu plus longtemps.

— Elle aura besoin que je m'occupe d'elle, au moins les premiers jours. Ce sera plus facile si je n'ai pas la salle, les clients...

— Ça se tient.

— Ça ne changera rien pour toi.

— Je le sais, tu me l'as déjà dit.

— Je ne voudrais pas que tu penses que je m'occuperai moins de toi. Enfin, je veux dire...

Il la considéra, la tête inclinée sur le côté.

— Alors tu continueras à me préparer mes repas en te donnant un mal de chien pour trouver de nouvelles recettes ? Tu continueras à réchauffer mon lit ?

Le tableau qu'il peignait eut le don de la hérisser.

— Je ne suis pas comprise dans la pension complète. Tu ne payes pas ma compagnie en même temps que tes repas.

Elle se leva brusquement et alla déposer son assiette dans l'évier sans le regarder. Elle ouvrait le robinet quand elle sentit ses bras se refermer sur elle.

— Je le sais bien, murmura-t-il à son oreille. Pardon, je ne voulais pas dire ça. Et je tiens à préciser que je t'apprécie beaucoup plus que les repas que tu prépares.

Elle n'eut pas envie de se radoucir aussi facilement.

— Autrement dit, je ne fais pas bien la cuisine ?

La vitre devant elle lui renvoyait leurs reflets fantomatiques, Leo penché, le visage enfoui dans ses cheveux. Depuis qu'il lui avait dit qu'il les préférait flottant sur ses épaules, elle ne les attachait plus. Il enroula une longue mèche autour de son index, glissa l'autre main sous son pull. Dans la vitre, elle vit le renflement de cette main remonter sous l'étoffe, caresser son sein, jouer avec le mamelon ; une chaleur liquide se répandit dans son ventre. Avec lui, il suffisait d'un geste pour que le désir renaisse. Dès qu'il la touchait, son cerveau cessait de fonctionner. Chavirée, elle regarda ses mains brunes relever son pull, caresser sa peau pâle…

— Tu fais très bien la cuisine, murmura-t-il. Tu es la meilleure cuisinière que je connaisse.

— Et toi, tu es un épouvantable menteur.

Leo encaissa le coup. Elle plaisantait, bien sûr. Elle souriait, tout à fait rassérénée ; elle ne savait pas qu'elle disait la vérité.

— Je t'avais prévenue que j'étais un sale type, chuchota-t-il à son oreille.

— Si tu étais réellement un sale type, tu ne me préviendrais pas. D'ailleurs, tu n'aurais pas à le dire, je le sentirais.

Elle pivota dans ses bras et se hissa sur la pointe des pieds pour l'embrasser.

— Touche-moi, ordonna-t-il d'une voix brève.

Les paupières mi-closes, il la saisit aux hanches. A son tour, elle glissa les mains sous son pull pour effleurer son torse d'une caresse sensuelle. Il sentait déjà son corps exulter, fou de désir. En affaires, sa maîtrise de lui était pourtant légendaire ! N'y tenant plus, il lui retira son pull, entendit ce petit soupir bref qui n'appartenait qu'à elle, et sentit ses doigts descendre vers sa ceinture.

Dehors, la lumière changea. Pour la première fois depuis son arrivée, un pâle soleil creva le plafond des nuages. Un rayon timide posa des reflets dorés dans les cheveux splendides de Brianna, donnant une patine d'ivoire à sa peau crémeuse. Ebloui, il la regarda s'agenouiller devant lui, ouvrir son jean, et lui arracher un grondement de satisfaction.

— Tu vas me rendre fou…

Brianna sentit trembler les mains qu'il glissait dans ses cheveux. Qu'il était touchant, ce côté vulnérable qu'il ne montrait que quand ils faisaient l'amour ! Pour elle, c'était le plus puissant des aphrodisiaques. Elle le prit dans sa bouche, émue par la façon mystérieuse dont son plaisir d'homme se transmettait à elle. Quand elle sentait frémir son grand corps, elle se sentait incroyablement puissante… et emportée par le plaisir.

Il la saisit aux épaules ; docile, elle leva les bras pour qu'il la déshabille — que ses vêtements lui semblaient rêches, tout à coup, sur sa peau en éveil ! L'air froid fit du bien à ses seins brûlants.

— Je n'arriverai pas jusqu'à la chambre, haleta-t-il.

En quelques gestes, elle arracha son jean. Il la souleva dans ses bras, écarta d'un revers de main la vaisselle de leur petit déjeuner — par miracle, rien n'alla se fracasser sur le carrelage. Puis il la déposa sur la table et recula d'un pas pour mieux l'admirer, nue, les bras ouverts, ses cheveux flamboyants déployés en corolle autour de sa tête, emmêlés sur un sein ; un mamelon rose jaillissait entre deux mèches. Ses cuisses ouvertes l'invitaient, son corps tendu par la passion lui interdisait le luxe des caresses préliminaires. Il entra en elle d'une poussée puissante et tout de suite, son corps déchaîné lui échappa.

Sans savoir comment, il se retrouva arc-bouté contre elle qui gémissait, le dos pressé au mur de la cuisine, ses longues jambes enroulées autour de ses hanches. Ses cheveux auburns les enveloppaient tous les deux, il la sentait présente dans chaque fibre de son corps — une sensation tout à fait nouvelle, extraordinaire. Empoignant à deux mains son petit derrière si sexy, il l'aima sans la moindre retenue, fou d'excitation de voir ses petits seins gonflés de plaisir rebondir sur le même rythme… Très vite, ils explosèrent ensemble dans une fusion totale de leurs êtres.

— C'était… indescriptible.

Le souffle court, il berça Brianna contre lui, l'étreignit très fort, et la remit sur pied avec précaution. Ils se retrouvèrent face à face, les yeux dans les yeux, parfaitement nus. Peu à peu, la lucidité perça la brume de leur satisfaction sensuelle ; il se détourna et, un instant plus tard, laissa échapper un juron à mi-voix.

— Le préservatif. Il a éclaté.

Elle écarquilla un peu les yeux puis, sans répondre, rassembla ses vêtements épars et entreprit de se rhabiller. Voyant qu'il restait immobile, horrifié, elle finit par murmurer :

— Ne fais pas cette tête ! Ce n'est pas parce qu'un préservatif a craqué que je vais forcément me retrouver enceinte. Beaucoup de femmes sont obligées d'essayer pendant des mois, des années même, avant de démarrer une grossesse.

Elle n'était pas très sûre de ce qu'elle avançait, mais elle refusait de s'angoisser pour une simple hypothèse. Manifestement, il ne partageait pas son optimisme : surprise, elle le vit plonger les doigts dans ses cheveux en les tirant comme s'il voulait les arracher.

— C'est un cauchemar.

— Je ne suis pas enceinte ! répéta-t-elle, agacée. Tu réagis comme si le ciel te tombait sur la tête.

D'accord, il vivait en nomade et venait de tout lâcher pour se lancer dans une carrière aléatoire, mais ce n'était pas une raison pour prendre cet air… désespéré ! Ce ne serait tout de même pas la fin du monde si… Effarée, elle mesura ce qu'elle avait failli penser ; très troublée, elle débarrassa la table, fit couler de l'eau, claqua les portes des placards. Le bruit et l'agitation l'aidèrent à effacer l'idée insensée qui s'était emparée d'elle…

— Oui, tu as sûrement raison, dit-il d'une voix rauque. Mais j'ai une expérience suffisante des femmes pour savoir que…

— Mais de quoi parles-tu ?

Leo ouvrit la bouche pour lui répondre… et la referma. La fortune engendre une prudence bien particulière. Il avait toujours su, par exemple, qu'il ne pouvait pas se fier à ses partenaires pour ce qui était de la contraception. Mais cela, il ne pouvait pas le dire à Brianna ; il ne pouvait pas lui raconter son angoisse, deux ans plus tôt, quand une femme qu'il était en train de quitter avait cherché à le piéger en cessant de prendre la pilule. Pendant deux semaines affreuses, il s'était maudit de sa naïveté, puis la nouvelle était tombée : pas de grossesse. Brianna n'avait rien tenté de comparable, elle le prenait pour un écrivain sans le sou…, mais un préservatif crevé, c'était quand même une très mauvaise nouvelle.

— Tu te prends pour un si beau parti que les femmes vont forcément tout faire pour te garder, y compris tomber enceintes ?

Elle haussait les épaules en l'invitant à sourire avec elle. Il se détendit enfin et répliqua avec entrain :

— Tu crois que je ne suis pas un beau parti ?

Elle avait raison, il réagissait de façon tout à fait excessive. Soulagé, il se mit à rire. Les chances d'une grossesse étaient infimes. Personne ne cherchait à le piéger.

— Franchement, il y a mieux ! lança-t-elle d'un air taquin.

Elle aurait tout de même donné beaucoup pour pouvoir l'interroger sur ces femmes dont il parlait : celles avec qui il avait couché et qui espéraient davantage. Elle s'efforça de se représenter Leo dans son autre vie, dans un bureau, devant un écran d'ordinateur. Impossible, il était trop à l'aise en jean pour qu'elle puisse l'imaginer en complet ; trop content de pelleter la neige, rentrer des bûches pour le feu et bricoler dans tous les recoins du pub — jour après jour, il venait à bout de toutes les petites réparations pour lesquelles elle avait cru devoir faire venir des artisans. Il ne se rasait même pas tous les jours, et elle trouvait sa barbe naissante terriblement sexy. Bref, un homme *nature*. Et pourtant…

— Tu allais me parler de ton amie Bridget, dit-il d'un ton léger en se laissant tomber sur une chaise, les jambes étendues devant lui. Avant d'interrompre la conversation en exigeant que je te fasse l'amour.

Elle éclata de rire, tout énervement oublié. Elle vidait le lave-vaisselle en s'interrogeant sur les aspects pratiques de sa décision de fermer le pub encore quelques jours — ses finances le supporteraient-elles ? Son vieux 4x4 allait-il pouvoir atteindre le village pour aller aux provisions ? — quand elle répondit d'un air distrait :

— Je pense qu'elle te plaira…

Il eut une petite moue.

— Bizarrement, chaque fois qu'on me dit ça, je finis par détester la personne.

Pour la première fois, Leo envisageait sa mère biologique non pas comme un personnage abstrait, une pièce manquante de son puzzle personnel, mais comme une femme bien réelle. A quoi ressemblerait-elle ? Serait-elle grande ou petite, grosse ou maigre ? De qui tenait-il son apparence si peu irlandaise ? Ses parents adoptifs avaient été petits, blonds et fins ; adolescent, il était aussi différent d'eux que possible… Il ravala sa curiosité en se répétant qu'il n'y aurait pas de relation, pas d'échange : il était uniquement venu exorciser le passé. La colère, la curiosité étaient des compagnons pesants ; plus vite il s'en débarrasserait, mieux cela vaudrait.

— Ce que tu es soupçonneux ! se récria Brianna. Déjà, tout à l'heure, ce que tu disais des femmes… Tout le monde adore Bridget.

— Tu disais qu'elle est seule dans la vie ?

Elle avait dit cela en passant, sans rien préciser, et il voulait fouiller plus avant, obtenir toutes les informations possibles avant de la rencontrer… demain ! D'aucuns auraient trouvé déplacé de sa part de se servir de Brianna pour se renseigner à son insu, mais c'était nécessaire — et à ses yeux, complètement dissocié du fait qu'ils soient amants. C'était la vie, chacun utilisait plus ou moins les autres… Cette leçon, il ne l'avait pas apprise de ses parents adoptifs, des êtres qu'il était le premier à trouver beaucoup plus généreux que lui ; non, il s'agissait encore d'une manifestation du cynisme qu'il avait développé en même temps que sa fortune.

— Je suppose qu'elle n'a pas toujours été seule, mais elle ne parle pas beaucoup de sa vie…

Tiens, tiens, elle n'évoquait pas son passé ? Le contraire l'aurait étonné !

— Pourquoi pas ? répliqua-t-il aussitôt. Tu es tout de même son amie, peut-être même sa confidente ? J'aurais cru que ce serait réconfortant pour elle de se raconter. Vous vous connaissez depuis longtemps, c'était une amie de tes parents ?

— Mais non ! protesta-t-elle en riant.

Elle jeta un coup d'œil à la ronde comme pour s'assurer que tout était en ordre et ajouta :

— Bridget est relativement nouvelle dans le voisinage.

— Ah ? murmura-t-il. J'avais cru comprendre qu'elle était une voisine de longue date, très appréciée par toute la communauté.

Il réussit à le dire sans rire. Appréciée par ses voisins, elle ? Une paumée capable de jeter un enfant non désiré ? Il enchaîna :

— Mais maintenant, tu me dis qu'elle vient d'arriver. Elle est ici depuis combien de temps ?

— Oh ! sept ou huit ans maximum.

— Et avant cela ?

Elle lui jeta un regard surpris ; il n'eut qu'à lui sourire pour effacer son trouble. Quand il l'invita du geste à venir près de lui, elle obéit, en murmurant tout de même :

— Tu poses beaucoup de questions.

— Je suis curieux, c'est mon défaut, murmura-t-il en la serrant dans ses bras.

Il ferma les yeux ; l'espace d'un instant, le parfum léger de ses cheveux lui avait fait perdre le fil de ses idées.

— Tu n'aurais pas dû remettre ton pull, souffla-t-il à son oreille. J'aime trop regarder tes seins.

Il la sentit frémir…, mais elle se dégagea tout de même, en rabattant d'une tape la main qu'il tendait vers sa poitrine.

— J'ai des coups de fil à passer. Et toi, tu as un roman à écrire.

— Je préférerais écrire sur ta peau.

— Heureusement que Bridget n'est pas encore là. Elle serait choquée.

Cette fois encore, il faillit éclater de rire.

— Pourquoi, elle était bonne sœur avant de venir ici ?

Sans insister, il se dirigea vers le petit salon qui était devenu sa pièce de travail. Son ordinateur l'attendait sur la table, fermé, flanqué d'une pile de romans choisis dans les rayonnages de Brianna. Il en avait commencé deux, les avait abandonnés aussitôt. Trop compliqués, trop introvertis. Décidément, la littérature, ce n'était pas pour lui.

— Je n'aime pas que tu te moques d'elle.

Brianna l'avait suivi jusqu'à la porte. Il tenait à être tranquille quand il travaillait, mais elle voulait tout de même mettre les choses au point. Il ne pouvait pas partir comme cela, sans s'expliquer, sur un petit commentaire désobligeant.

— Je me moquais, moi ?

Pourquoi prenait-il ce petit air froid et distant ? Avec l'indulgence d'un homme qui explique un fait évident à un enfant, il reprit :

— Tu ne la connais que depuis quelques années…

— Presque sept ans ! Elle est venue au pub un soir…

— Autrement dit, elle boit ?

— Mais non ! Elle venait de s'installer ici, elle voulait voir du monde, rencontrer ses voisins. Nous organisons des soirées jeux une fois par mois. Elle venait régulièrement, nous avons fini par parler.

— Parler, mais jamais de son passé puisque tu ne sais rien d'elle. On peut aussi se demander pourquoi, si elle voulait voir du monde, elle est venue s'installer dans un coin aussi perdu.

— Nous sommes accueillants.

Vexée, Brianna se mordit la lèvre en pensant à la façon dont il pourrait interpréter ses paroles, et se hâta d'enchaîner :

— Je n'ai pas besoin de tout connaître de sa vie pour savoir que c'est une femme bien.

Leo ne pensait pas à faire de l'esprit ; il se disait seulement que le tableau brossé par Brianna confirmait toutes ses idées sur cette femme qui était sa mère. Un passé qu'elle tenait à cacher, un nouveau départ loin de tout et sans jamais mentionner sa vie précédente... Si on l'interrogeait de façon trop insistante, elle devait se rabattre sur un mensonge passe-partout. Un peu comme lui, en somme. Agacé, il se hâta d'écarter cette comparaison déplaisante.

Les bras croisés, Brianna le toisait en se demandant comment le fait de mentionner sa chère Bridget avait pu les précipiter dans une dispute, et aussi pourquoi ce heurt la bouleversait autant. Il la prenait donc pour une innocente, une fille facile à manipuler ? Ou alors... Elle s'était déjà demandé s'il accueillait mal la venue de Bridget sous prétexte qu'il appréciait leur solitude à deux. Et s'il se braquait maintenant parce qu'il se faisait sincèrement du souci pour elle ? Et s'il... commençait à s'attacher ?

Elle s'engageait là sur un terrain glissant ! Bien décidée à ne pas s'égarer dans de dangereux fantasmes, elle se ressaisit et réussit à lancer :

— Tu crois peut-être que mon amie est une tueuse en série qui se fait passer pour une femme charmante quoiqu'un peu solitaire ?

Leo fronça les sourcils, de plus en plus contrarié. Car ce qu'il ressentait, c'était une… envie puissante de la protéger. Cela ne lui ressemblait guère, mais la vie n'avait pas été tendre avec Brianna. Quand il pensait qu'elle avait dû affronter simultanément le deuil de son père et la trahison de son amant ! Obligée de mettre de côté ses rêves et ses ambitions, elle affrontait la vie avec tant de courage ! Une telle avalanche de coups durs aurait pu la transformer en une vraie mégère, mais non, elle gardait intacte sa franchise naturelle, sa… transparence, sa générosité. Elle riait souvent, se plaignait à peine… Bon, fini de parler de sa mère avec elle ! Décidé à couper court, il saisit son poignet, l'attira à lui ; elle bascula sur ses genoux avec un petit rire.

— Arrête ! Tu devrais te mettre au travail. J'ai un inventaire à terminer…

Il ne répondit pas ; ses doigts, déjà, couraient sur les courbes de son corps souple… Elle insista :

— Bridget n'a aucune raison de s'incruster ici, si c'est ce que tu redoutes. Elle a sa propre maison, une petite maison très agréable…

Pour Brianna, c'était une sensation délicieusement décadente d'être là, à demi allongée sur les genoux de Leo dans le salon du pub, tandis qu'il glissait la tête sous son pull pour embrasser ses seins. Concentré sur sa tâche, il répliqua pourtant d'une voix étouffée :

— Mais si elle vient ici, tu t'occuperas d'elle… Tu lui feras ses repas. Pourquoi vivre seule si elle peut se faire servir ?

Il entrecoupait ses phrases de baisers, content de la sentir frémir, d'entendre son souffle se précipiter. Au diable Bridget McGuire, elle serait bien la dernière à qui il laisserait le bénéfice du doute, mais c'était tout de même assez déconcertant, ce besoin rageur de s'assurer que personne ne profiterait de la femme adorable à la somptueuse crinière rousse qui lui souriait, perchée sur ses genoux. Elle n'avait rien dit, mais il la regarda comme si elle venait de le contredire, et assena :

— Il faut toujours être prudent.

— Dans ce cas, répliqua-t-elle, taquine, tu devrais peut-être rester un peu, pour t'assurer que je ne me ferai pas avoir ?

Ce séjour aurait dû se boucler en deux jours. On l'attendait pour des réunions importantes, qu'il ne pourrait pas repousser éternellement. Et pourtant, il s'entendit répondre :

— Je devrais peut-être, oui.

— Et si jamais elle est vraiment une profiteuse sans scrupules, tu pourras la chasser d'ici.

Elle lui caressa la joue en riant comme si l'idée seule lui semblait absurde ; il saisit son poignet fin d'une main de fer.

— Si elle tente quelque chose, dit-il d'une voix qui la fit ouvrir de grands yeux, elle comprendra vite à qui elle a affaire ! Elle regrettera de s'être mise en travers de ma route.

5.

La neige avait cessé, une petite bruine achevait de dissoudre l'épaisse couche blanche, mais Leo était toujours au pub de Ballybay. Il faisait parfois un saut à Londres en milieu de semaine, en suggérant — le mensonge le dérangeait chaque fois — qu'il avait des démarches à accomplir en rapport avec son ancien travail, des paperasses à signer, une soirée amicale. Son mensonge, qui devait n'avoir aucune conséquence, devenait chaque jour plus difficile à assumer. Mais comment faire autrement ?

Posté à la fenêtre de sa chambre, il contempla distraitement les prés, à l'arrière du pub. L'après-midi se terminait ; dans moins de trois heures, la foule habituelle du vendredi soir envahirait la salle. A force, il connaissait tous les habitués, au moins de vue. Comment s'était-il enferré dans une situation aussi ambiguë ?

En fait, la réponse était évidente. Son plan, venir ici, confirmer l'idée qu'il se faisait de sa mère, clore la question et rentrer chez lui, avait déraillé dès l'instant de sa rencontre avec Brianna. Il n'avait pas su résister à l'envie de lui faire l'amour, et une fois exposé à sa fraîche et simple générosité, c'était presque devenu une addiction. Tout simplement, il ne pouvait pas la voir sans avoir envie d'elle. Dans ses bras, pour la première fois de sa vie, il perdait le contrôle de lui-même. Elle était… irrésistible.

Et sa mère ? La femme qu'il voyait comme un être assez méprisable… Eh bien, celle-ci non plus n'entrait pas dans la case qu'il avait préparée pour elle.

Avec un gros soupir, il jeta un coup d'œil au rapport affiché à l'écran de son ordinateur. Impossible de se concentrer, il ne cessait de revivre sa première rencontre avec sa mère, sa toute première impression de cette femme frêle, plus jeune qu'il ne s'y attendait. Lui qui s'était attendu à une personne bruyante et vulgaire, il lui avait suffi d'un regard pour mesurer à quel point il se trompait. Lui qui avait toujours vu les choses en noir et blanc, tout ou rien… Malgré les efforts qu'il faisait pour ne pas se laisser influencer, en écoutant sa voix douce, le premier soir, il s'était découvert un besoin d'en savoir davantage avant de la juger.

Non qu'elle ait rien dit de très important ! Ils avaient juste passé une première soirée à trois, dîné ensemble, Brianna aux petits soins, sa mère souriant avec chaleur et s'inquiétant pour son jardin laissé à l'abandon pendant sa maladie. Elle s'était intéressée à lui, l'avait interrogé avec gentillesse ; il lui avait fait les réponses les plus brèves possibles, fasciné par sa blondeur frêle, alors qu'il était si brun. A un moment, elle avait murmuré, le regard absent, qu'il lui rappelait quelqu'un ; il s'était hâté de parler d'autre chose.

Profondément troublé par ce premier échange, il se sentait depuis mal dans sa peau. Pour se protéger des questions qu'il se posait, il s'accrochait de son mieux à sa colère. En fait, il ne savait plus ce qu'il devait ressentir.

Jusqu'ici, il n'avait vu Bridget qu'aux repas, et toujours en présence de Brianna. Sa mère passait beaucoup de temps dans sa chambre où, à en croire Brianna, elle lisait énormément. Lui qui avait dû reprendre contact avec la littérature, pour rendre crédible son statut d'écrivain, s'était surpris à se demander quels romans elle aimait. A l'occasion de son dernier voyage à Londres, il s'était procuré une pile de livres et avait constaté avec surprise que cette fois, il parvenait à s'y intéresser. Lire n'était plus forcément une corvée — et au moins, il pouvait commencer à parler littérature de façon à peu près cohérente. Où tout cela l'entraînait-il ? Il n'en avait aucune idée.

Il descendit, et s'arrêta net en trouvant Bridget installée dans le petit salon.

— Leo !

Trop tard, elle l'avait vu ; il renonça à remonter discrètement et s'approcha à pas comptés. Installée devant la large baie qui donnait sur le jardin et les champs, elle leva vers lui son visage fin, presque émacié. Quand elle tirait comme cela ses fins cheveux blonds en arrière, elle ressemblait à un petit oiseau.

— Brianna n'est pas encore rentrée, dit-elle en tapotant le fauteuil près du sien. Vous prenez une tasse de thé avec moi ? Nous n'avons pas encore beaucoup parlé.

Il fronça les sourcils. La situation lui échappait, une fois de plus. Voulait-il vraiment parler avec sa mère en tête à tête, sans Brianna pour faire tampon ? Pourquoi se sentait-il tout à coup si… vulnérable, en conflit avec lui-même ? C'était bien pour rencontrer Bridget qu'il était venu s'enterrer ici ? Il n'avait pas renoncé à découvrir qui était cette femme, même si rien ne s'était déroulé comme prévu. Il était même saisi par la puissance de son désir de savoir pourquoi elle l'avait rejeté.

Très bien, pensa-t-il : *à nous deux !* Sans sa grande amie Brianna, Bridget allait-elle révéler un autre aspect d'elle ? Son masque de douceur modeste tomberait-il ? A lui de s'endurcir, de résister à la tentation de la voir comme une victime méritant sa compassion.

— Je vais plutôt prendre un café, dit-il. Je vous en apporte un ?

— Non, merci, je m'en tiendrai au thé. Si vous allez dans la cuisine, vous voudrez bien rapporter un peu d'eau chaude ? Je me fatigue si vite, et j'en ai trop fait aujourd'hui.

Galvanisé, il revint très vite avec sa tasse de café et la théière remplie, qu'il posa sur la petite table près d'elle. Comme toujours, quand il se trouvait en sa présence, il se retenait de la dévisager, pour chercher une ressemblance…

— Je suis contente de vous trouver seul pour une fois, murmura-t-elle quand il fut installé. J'ai le sentiment alors que je vous connais à peine, que Brianna s'est vite sentie en confiance avec vous…

— Quand vous dites « en confiance »…

Il s'interrompit, frappé par une idée assez extraordinaire. Il n'avait cessé de répéter à Brianna que cette femme sans passé ne lui inspirait pas confiance. Bridget en avait-elle autant à son service ? Se méfiait-elle de l'influence qu'il pourrait avoir sur sa jeune amie ? Il faillit partir d'un grand rire. Déjà, elle reprenait :

— Elle est… Enfin, je suppose que vous êtes au courant, pour…

— Pour son chagrin d'amour à l'université ?

— Elle s'est repliée sur elle-même pendant des années, sans aucun contact masculin. C'est triste, pour une fille aussi jeune, avec autant de cœur… et si belle ! Elle devrait partager toutes ces qualités avec une âme sœur.

Il murmura une petite phrase qui ne voulait rien dire. De plus en plus troublé, il se demandait quel effet cela faisait d'être encore relativement jeune et d'avoir besoin d'une canne pour marcher.

— Je suis peut-être indiscret, mais quel âge avez-vous, Bridget ?

Surprise, elle leva les yeux.

— Pourquoi me demandez-vous ça ?

Il haussa les épaules sans répondre. Il n'avait pas prévu de lui poser cette question, mais maintenant que c'était fait, il ne voulait pas se rétracter. Elle finit par répondre avec dignité :

— Je n'ai pas encore cinquante ans. Je sais que j'ai l'air beaucoup plus âgée…

Elle détourna la tête ; il crut voir que ses yeux s'étaient mouillés. Il fit un rapide calcul mental et arriva à un résultat surprenant.

— Mais nous ne parlions pas de moi, dit-elle à voix basse.

Leo se sentait beaucoup mieux, tout à coup. Son cynisme habituel venait de se réveiller. Si elle croyait pouvoir l'interroger à son tour, elle se préparait une sacrée surprise ! Il se connaissait : quand il voulait quelque chose, il l'obtenait toujours, que ce soit de l'argent, une femme ou des réponses à ses questions. L'indécision troublante qui le paralysait encore un instant plus tôt s'évanouit. Quel soulagement ! Enfin, il se reconnaissait.

— Faites-moi plaisir, dit-il avec un sourire. J'ai du mal à me confier — je suis un homme. Si je dois parler de moi, il faut aussi me parler de vous. Je suis curieux : à moins de cinquante ans, je vous trouve bien jeune pour renoncer à l'animation de la grande ville et vous installer dans un coin aussi tranquille.

Il se demandait encore si elle disait la vérité. Il lui aurait donné la soixantaine…

— Quand vous dites tranquille, vous voulez dire ennuyeux. Moi, je dirais « paisible ».

— Brianna me dit que vous êtes déjà ici depuis plusieurs années. Vous étiez encore jeune quand vous avez choisi ce coin…

Il avait ses yeux, réalisa-t-il. Pas la couleur, mais la forme. Quand elle rougit, il vit pour la première fois qu'elle était encore relativement jeune.

— Ma vie a été… compliquée, murmura-t-elle. Pas du tout ce à quoi je m'attendais.

Dévoré par la curiosité, il fit un effort surhumain pour contrôler son expression, garder l'attitude bienveillante d'un homme qui ne se sent pas particulièrement concerné, mais qui est prêt à accueillir une confidence. Pourtant, il vibrait d'impatience : les questions qu'il s'était posées toute sa vie allait enfin recevoir une réponse !

— Pourquoi ne pas en parler ? proposa-t-il en posant sa tasse pour se pencher vers elle, les coudes sur les genoux. Vous êtes si peu nombreux à Ballybay, et vous ne souhaitez sûrement pas mettre tout le voisinage au courant de vos affaires privées.

En la sentant hésiter, il sut qu'il l'avait ferrée. Les gens désirent toujours livrer leur secret à quelqu'un !

— Je ne veux pas dire que Brianna irait raconter quoi que ce soit…, ajouta-t-il avec un sourire amical.

— Et qui sait combien de temps il me reste ? murmura-t-elle comme pour elle-même.

Ses mains se nouèrent sur ses genoux ; son regard s'était fixé très loin, au-delà du jardin dépouillé par l'hiver.

— Ma santé n'est pas bonne. Le médecin dit que je pourrais faire une autre crise cardiaque à tout instant. Il ne peut pas garantir que la prochaine ne serait pas fatale.

Elle tourna vers lui un visage tragique.

— Et je crois bien que je n'ai pas envie de raconter mon histoire à Brianna, lui transmettre ce fardeau. C'est une fille adorable, je ne voudrais pas la mettre en situation de devoir exprimer une sympathie qu'elle ne ressentirait pas.

Ou de juger un acte impardonnable, compléta mentalement Leo. C'en serait fini des bons moments qu'elle passait avec sa jeune amie. Il sentit bien, pourtant, qu'il générait délibérément ces pensées cyniques, pour se préserver — parce qu'elle l'avait touché malgré lui.

— Mais moi, je ne suis pas d'ici, encouragea-t-il à mi-voix.

Elle se mit à parler comme si sa décision s'était prise

toute seule — comme si elle se trouvait déjà au cœur du récit.

— J'ai grandi dans un village un peu comme celui-ci, juste un peu plus grand. Tout le monde connaissait tout le monde, les filles savaient toutes qui elles épouseraient plus tard. Moi, c'était Jimmy O'Connor, qui habitait à deux maisons de nous. Ses parents étaient les meilleurs amis des miens, nous étions quasiment nés le même jour. Mais tout cela n'a compté pour rien le jour où j'ai rencontré Robbie Cabrera. Roberto…

Figé à sa place, Leo réussit à articuler tout bas :

— Un Espagnol ?

— Oui. Son père était venu travailler sur un chantier à quinze kilomètres du village. Un contrat de six mois. Robbie a été placé dans notre classe et toutes les filles ont craqué pour lui. J'étais jolie autrefois, vous savez ? On ne dirait pas maintenant, mais à quinze ans…

Elle lui lança de nouveau ce sourire juvénile qui la métamorphosait. D'une voix dont le naturel le surprit, comme si ce n'était pas sa propre histoire qu'il écoutait, il demanda :

— Qu'est-ce qui s'est passé ?

— Nous sommes tombés éperdument amoureux. Comme on peut s'aimer quand on est très jeunes et très innocents.

Son visage s'était épanoui. De son côté, il ressentait la jubilation folle qu'il n'éprouvait d'habitude que dans les paris les plus fous de sa vie professionnelle. Tout à coup, une foule d'images assaillirent son esprit : Brianna riant, Brianna se moquant de lui, Brianna et son sourire de chat quand elle était nue dans son lit, les petits seins de Brianna… Mais pourquoi, et que venait-elle faire ici… ?

— Pardon ? murmura-t-il. Vous disiez…

— Oui, vous êtes choqué, bien sûr, mais si vous saviez le bien que cela fait d'en parler ! Je n'ai jamais osé le dire à personne. Eh bien, oui, je me suis retrouvée enceinte. A quinze ans. Ma famille était horrifiée. Il n'était pas question d'avorter, bien sûr — d'ailleurs je n'aurais jamais accepté. Non, Robbie et moi, c'était pour la vie.

— Enceinte…

— Je n'étais qu'une gosse, nous étions des enfants tous les deux. Nous voulions le garder, mais nos parents ont été catégoriques. On m'a expédiée dans un couvent pour l'accouchement…

— Vous vouliez le garder ?

— Je ne l'ai jamais tenu dans mes bras. Je n'ai jamais su si c'était un garçon ou une fille. Ensuite, je suis rentrée à la maison, je suis retournée au lycée, mais je n'ai jamais pardonné à mes parents. Le lien était brisé, nous n'étions plus proches. J'ai trois frères et sœurs plus jeunes, ils n'ont jamais su ce qui s'était passé.

— Et le père de l'enfant ?

Elle eut un extraordinaire sourire de tendresse et de défi.

— Nous avons fugué ensemble. A seize ans, nous avons tout plaqué et nous sommes partis en Angleterre. J'ai tenu mes parents au courant, par devoir, mais ils n'ont jamais pu dépasser leur honte. En fait, je crois bien qu'ils auraient préféré que je ne donne plus jamais de mes nouvelles. Pour Robbie, c'était différent, il gardait le contact avec les siens et quand ils sont venus s'installer à Londres, nous avons même vécu quelques mois avec eux…

— Vous avez… fugué…

Le cerveau toujours si agile de Leo le trahissait, il ne parvenait pas à suivre…

— Nous avons été très heureux, Robbie et moi, pendant plus de vingt ans. Puis il est mort, fauché par une voiture qui ne s'est même pas arrêtée… Je suis rentrée en Irlande. Pas dans mon village d'origine, mais dans un autre bourg. Plus tard, je suis venue ici.

— Fauché par une voiture…

L'impact de ces révélations était si intense qu'il dut se lever et faire quelques pas dans la pièce avant de se laisser retomber sur son siège. Sans s'étonner de sa réaction, elle ajouta :

— Nous n'avons jamais eu d'autres enfants. Par respect pour celui qu'on m'a obligée à donner.

La pièce semblait tout à coup trop petite, Leo étouffait, la transpiration perlait sous sa chemise. Un mouvement involontaire l'arracha de nouveau à son fauteuil. Son cerveau lui ordonnait de rester où il était, d'aligner quelques platitudes pour clore la conversation… Hélas, c'était impossible, son émotion était trop violente. Il s'approcha de la fenêtre, cherchant un prétexte pour tourner le dos à sa mère. De très loin, il l'entendit murmurer quelques mots qu'il ne saisit pas. Elle ne semblait plus avoir conscience de sa présence.

Il y avait tant à intégrer dans le récit qu'il venait d'entendre qu'il ne savait même pas par où commencer. C'était donc cela, son histoire ? Bridget n'était pas un monstre, pas même une fêtarde irresponsable, et elle avait regretté toute sa vie d'avoir dû renoncer à lui… Maintenant qu'il savait cela, qu'était-il censé faire !

Il se retourna brusquement. La tête un peu de côté, immobile au creux de son fauteuil, elle s'était assoupie, épuisée par ces confidences. A côté, il entendit la porte de la salle du pub : Brianna était de retour. Un instant plus tard, elle parut sur le seuil du petit salon.

— Il y a un problème ? lança-t-elle en le dévisageant avec inquiétude. Bridget va bien ?

Brianna s'était forcée à prendre son temps pour faire ses courses, justement parce qu'elle avait très envie de rentrer retrouver Leo. Dès qu'elle entra dans le petit salon, il vint la débarrasser de ses sacs de provisions ; elle dut réprimer le plaisir que lui procurait ce geste prévenant.

— Bridget va bien, dit-il à mi-voix. Elle dort.

Il s'était passé quelque chose : pourquoi Leo était-il si pâle, avec une expression si bizarre ?

Soudain, il lui prit la nuque en lui demandant tout bas :

— Ça t'est déjà arrivé de croire que tu allais dans une direction, et de t'apercevoir brusquement que tous les panneaux indicateurs avaient changé et que ta destination n'existait même plus ?

Elle sentit son cœur trébucher. C'était d'elle qu'il parlait ? De leur rencontre, qui aurait fait dérailler tous ses projets ? Instinctivement, elle posa les mains sur sa poitrine, en glissant les doigts entre les boutons de sa chemise pour chercher sa peau.

— Qu'est-ce que tu veux dire ?

— Je veux faire l'amour avec toi.

Et c'était vrai. A cet instant précis, Leo ne désirait rien de plus que de se noyer en elle. Pour faire taire la clameur des voix contradictoires qui se heurtaient en lui… Les sacs de provisions à la main, il la poussa doucement vers la cuisine.

— On ne peut pas ! protesta-t-elle à mi-voix. Bridget…

Et pourtant, déjà, elle défaisait les boutons de la chemise de Leo.

— Bridget dort, dit-il.

— Mais je dois tout préparer pour ouvrir le pub !

— Tu as encore une demi-heure. Je peux t'assurer…

Ils étaient dans la cuisine. Il referma la porte d'un coup de talon et la fit reculer contre le mur.

— … qu'on peut accomplir beaucoup de choses en une demi-heure.

Sa voix s'enrouait, terriblement sexy. Brianna soupira en sentant les mains de Leo défaire les boutons du jean, puis courir sur sa peau. L'espace d'un instant, elle pensa de nouveau à Bridget : si celle-ci s'avisait de venir chercher quelque chose dans la cuisine, elle aurait une nouvelle crise cardiaque. Heureusement, ses siestes étaient assez longues… Puis il n'y eut plus que Leo qui la caressait, Leo qui ouvrait son propre jean, Leo et la passion éperdue qui les jetait l'un vers l'autre. On était bien loin des séances amoureuses langoureuses et sensuelles de leur période à deux !

Leo avait l'impression de revenir en arrière, de redevenir le garçon fou de désir de ses premières expériences amoureuses. Mais même adolescent, il n'avait jamais perdu la tête à ce point. Il ne chercha pas à déshabiller Brianna entièrement, faillit oublier d'enfiler un préservatif ; ses mains tremblaient en déchirant le petit emballage. Dès qu'il fut protégé, il la souleva contre lui et entra en elle. Arc-bouté contre le mur, il la posséda comme un fou ; bras et jambes noués autour de lui, elle haletait, gémissait… Ils basculèrent ensemble dans le plaisir, un plaisir fabuleux, unique…

Au bout d'un temps indéfini, il la posa délicatement sur ses pieds en murmurant :

— Ce n'était pas mon style habituel.

Pourtant, en la regardant se rhabiller — ce petit mouvement des hanches quand elle enfilait un vêtement ! — il se dit qu'il aurait tout intérêt à intégrer cette approche à son répertoire.

— Tu es toute rose et échevelée.

D'un geste tendre, il écarta une mèche de son visage… et Brianna ajouta ce geste tendre au catalogue qu'elle compilait, secrètement et malgré elle. Dans une brusque flambée d'espoir, elle se souvint de la petite phrase de Leo au sujet de ses projets qui venaient de changer… Elle aurait voulu le questionner, mais le moment semblait mal choisi et elle savait maintenant qu'il était impossible de lui faire dire ou faire quoi que ce soit tant qu'il ne l'avait pas décidé.

— Bon, soupira-t-elle. Le pub… Je dois préparer l'ouverture mais d'abord, je vais voir où en est Bridget.

Il lui restait une foule de choses à faire en très peu de temps, à commencer par ranger ses provisions. La liste des tâches à accomplir se déroulait dans sa tête, parasitée par la grande, l'immense question : Leo se décidait-il à vouloir autre chose qu'une passade ? Les nomades finissaient souvent par se poser un jour. Et s'il ne voulait pas se poser ici… eh bien, elle était prête à le suivre.

Ses pensées s'étaient envolées si loin qu'en entrant dans le petit salon, elle mit un instant à comprendre ce qu'elle voyait. Bridget n'était pas dans son fauteuil. Surprise, elle jeta un regard à la ronde… et la vit effondrée sur le sol. Incapable de réagir, elle se figea. Le temps qu'elle se reprenne, Leo, qui l'avait suivie, était déjà en pleine action.

Il examina Bridget tout en lançant des ordres en rafale. Fermer le pub. Aller chercher un verre d'eau. Une couverture. Lui apporter le téléphone du bar. Non, monter chercher son portable, dans sa chambre, sur la table de nuit.

— J'appelle une ambulance, s'écria Brianna.

— Laisse-moi faire.

Il parlait avec une telle autorité qu'elle se tut et fit tout ce qu'il lui demandait : courut à l'étage chercher le portable, saisit au passage une couverture sur le lit ; dévala les marches, tendit le tout à Leo et fila dans la cuisine chercher un verre d'eau. Puis elle griffonna un mot, l'afficha à la porte du pub et verrouilla la salle.

— N'aie pas l'air si paniquée, dit-il dès qu'elle le rejoignit. Elle respire.

Il la laissa agenouillée près de Bridget, sa main inerte serrée entre les siennes, et se posta devant la fenêtre, le portable plaqué à l'oreille. Elle n'entendait pas ce qu'il disait — il parlait bas, en lui tournant le dos — mais elle ne cherchait pas à suivre ses propos. Entièrement concentrée sur son amie, elle caressait sa joue, sa main, en lui demandant de s'accrocher, de ne pas partir… En même temps, elle cherchait à voir si elle était blessée. Elle ne trouva qu'une bosse à la tête, un petit filet de sang. Elle semblait s'être cognée en tombant, mais pourquoi était-elle tombée ? Une nouvelle crise cardiaque ? Dans son état de faiblesse actuel, quelles seraient les conséquences ?

— Bon. C'est réglé.

Leo se retourna vers elle en glissant le portable dans sa poche. Comme elle l'interrogeait du regard, il précisa :

— Elle va être prise en charge. Qu'elle ne bouge pas, surtout. Elle a pu se faire une fracture en tombant.

— Toi aussi, tu penses à une chute ? C'est moins grave qu'une crise cardiaque, non ? L'ambulance arrive ? J'ai fermé le pub ; dès que j'aurai une minute, j'appellerai quelqu'un pour expliquer la situation, il fera suivre aux autres…

Il eut une brève hésitation, puis lâcha :

— Pas l'ambulance, non.

Elle le regarda, effarée.

— Mais il faut l'emmener tout de suite à l'hôpital !

— Crois-moi quand je te dis que j'ai fait tout le nécessaire.

Leo rempocha son portable et alla s'accroupir près des deux femmes. Clairement, le moment était venu de tout dire. Avait-il pu croire un seul instant que cela n'arriverait pas, qu'il pourrait repartir sans se retourner, et sans jamais s'expliquer ? D'accord, il ne s'attendait pas à devoir sauver sa mère. Pas plus qu'il n'imaginait qu'après leur première conversation, il leur resterait tant de choses à se dire…

— Tu as fait tout le nécessaire, mais sans appeler d'ambulance ? protestait Brianna.

— Je la fais transporter par hélicoptère à l'hôpital Cromwell à Londres.

— Comment ?

— L'hélico devrait arriver d'un instant à l'autre. Aucune ambulance ne pourrait arriver aussi vite par la route.

Elle cherchait encore à assimiler cette information quand elle entendit l'hélicoptère. Le bruit se fit de plus en plus assourdissant, comme si le toit allait s'envoler… puis le volume baissa radicalement et ce fut une autre agitation, appels, bruits de pas. Mystifiée, elle assista à l'intervention rapide et efficace de l'équipe médicale. Quelques instants plus tard, on emportait Bridget au pas de course vers l'hélicoptère et Léo se tournait vers elle.

— Tu devrais venir aussi.

Elle le dévisagea, bouche bée, et finit par articuler :

— Leo… il se passe quoi, là ? Comment as-tu fait ça ?

Personne ne pouvait demander à transporter une malade à des centaines de kilomètres ! A moins que… Elle avait toujours supposé que Leo travaillait dans l'informatique, ou peut-être dans les affaires, mais s'il était médecin ? Non, cela ne lui allait pas du tout, et elle réalisait subitement qu'elle ne savait rien de lui… Mais l'heure n'était pas aux questions et, déjà, il l'entraînait dehors, l'aidait à verrouiller la porte…

— Je n'ai pas de vêtements, protesta-t-elle.

— Ce ne sera pas un problème.

Les énigmes, cela commençait à bien faire ! Tout en courant près de lui vers la grosse sauterelle d'acier posée sur la route, elle eut envie de tempêter, d'exiger des réponses, mais tout ce qui lui vint fut :

— Tu crois qu'elle va s'en sortir ?

Elle s'en voulut de sa faiblesse, mais tout était si incompréhensible ! Tout à coup, l'appareil bondit dans les airs, pivota sur lui-même, et elle vit le pub rapetisser peur à peu. Il y avait trop de bruit pour pouvoir parler, et l'expression froide et détachée de Leo la glaçait. Elle essaya de rire en lançant :

— Tu pourras intégrer une scène comme celle-ci dans ton livre…

Blottie dans le siège voisin, elle levait vers lui un visage angoissé. Leo se raidit. Cette relation… n'était pas faite pour durer, ils le savaient depuis le premier jour. Il n'avait rien à se reprocher, il s'était montré parfaitement clair… alors pourquoi ressentait-il ce regret cuisant, disproportionné ? La scène qui l'attendait serait rude, mais le moment n'était pas encore venu de s'expliquer.

— Je pense qu'elle s'en sortira très bien, déclara-t-il, mais pourquoi prendre des risques ?

— Leo…

— Nous allons arriver très vite à l'hôpital. Nous parlerons dès que Bridget sera installée.

Quand il détourna la tête pour regarder à l'extérieur, Brianna n'insista plus. Après un trajet qui lui sembla incroyablement bref, la même scène se rejoua à l'envers : l'engin atterrit, ils débarquèrent, de nouveaux médecins examinèrent la malade et la chargèrent sur un brancard. Elle était de plus en plus impressionnée par la façon dont Leo gérait la situation, il semblait savoir à tout instant ce qu'il fallait faire, tout le monde l'écoutait avec déférence. Quant à elle, elle se sentait parfaitement inutile. Muette, elle suivit le mouvement et entra dans cet hôpital qui ressemblait à un hôtel de luxe. Elle aurait voulu être auprès de Bridget, mais n'osait pas demander à la rejoindre. La nuée de médecins et d'infirmières qui s'activait autour du lit ne lui laissait aucune place.

Leo était au cœur de la mêlée et elle sur la touche. Une toute jeune femme en blouse blanche l'escorta fermement dans une salle d'attente luxueuse où elle lui mit un cappuccino entre les mains en lui faisant comprendre qu'elle faciliterait le travail de toute l'équipe en se détendant ici. Tout allait très bien se passer, on la tiendrait au courant.

Se détendre ? Mais comment ! Folle d'inquiétude pour son amie, elle se posait aussi toutes sortes de questions sur Leo. Quand enfin il reparut, elle était à bout de nerfs. En le voyant, elle se leva ; il lui fit signe de se rasseoir, approcha un autre siège et s'installa devant elle dans son attitude familière, les coudes sur les genoux. Malgré sa colère et son angoisse, elle nota que lui aussi semblait épuisé.

Elle aurait voulu tendre la main et effacer les traces de fatigue autour de ses yeux, mais elle se retint : ce geste semblait tout à coup affreusement déplacé.

— Leo, explique-moi ce qui se passe.

— Le plus important, c'est que Bridget va guérir. Apparemment, elle était mal réveillée en se levant, sa canne lui a échappé et elle est tombée. Elle a repris conscience, elle est lucide ; d'après les examens, il n'y a pas de traumatisme crânien et le choc n'a pas affecté son cœur.

Elle attendit la suite, le visage levé vers le sien, et le vit rougir tout à coup. Troublée, elle murmura :

— Je n'en reviens pas de la façon dont tu es passé à l'action. Moi, je l'aurais fait transporter à l'hôpital local…

Leo regarda Brianna. Pâle et inquiète, tassée sur sa chaise… Tout à coup, il ne parvenait plus à justifier ses mensonges. Peu importe qu'il les ait prononcés sans penser à mal, et qu'ils aient eu des conséquences imprévisibles. Ensuite, il avait couché avec elle et…

— Il est tard, dit-il. Il faut te reposer. Plus important encore, il faut qu'on parle.

— Oui…

Elle redoutait la suite, il le lisait sur son visage. Quel instinct la prévenait qu'elle n'aimerait pas ce qu'elle allait entendre ?

— Je vais te ramener chez moi, décida-t-il.

— Chez… Tu as encore un logement à Londres ?

Il secoua la tête avec lassitude, passa les mains dans ses cheveux en désordre, et soupira :

— Quand nous y serons, tu comprendras tout.

6.

Pour Brianna, le premier choc en émergeant de l'hôpital fut de voir une Range Rover noire haut de gamme surgir de nulle part et se ranger contre le trottoir, juste devant eux. Leo lui ouvrit la portière arrière et s'écarta avec courtoisie. Muette, elle prit place sur la banquette de cuir.

Il portait toujours le même jean, le même pull et le vieux blouson trouvé dans un placard du pub, mais il n'était plus le même. Il ne se ressemblait plus. Où était passé le gars décontracté, au sourire irrésistible, toujours prêt à se retrousser les manches ? Ce visage dur qu'elle ne lui connaissait pas lui faisait un peu peur.

Dans la voiture, le silence s'étira, interminable. Ils roulaient vers le cœur de Londres ; comme elle ne supportait pas de regarder Leo, elle fit mine de se concentrer sur le défilé des rues brillamment éclairées. Il était très tard : en Irlande, le ciel aurait été d'un noir d'encre, la campagne invisible ; ici, les réverbères et les vitrines brillaient d'une lumière fiévreuse, et il y avait beaucoup de monde sur les trottoirs.

Leo gardait donc un logement à Londres ? Il disait pourtant ne plus avoir d'attache nulle part. Elle chercha désespérément une explication logique. S'il n'avait pas encore réussi à vendre ? Elle jeta un regard furtif à son profil austère et se décida à demander :

— Nous allons où ? Oui, chez toi, d'accord, mais où est-ce que ça se trouve ?

Désolé du gâchis qu'il avait créé, et conscient que tout était sa faute, Leo pivota sur la banquette pour la regarder en face. Il s'était comporté comme un imbécile et maintenant, il devait assumer. Brianna appartenait à un monde différent du sien. Si elle s'était beaucoup battue dans la vie, elle conservait une certaine fraîcheur, une certaine naïveté. Tout à fait le genre de femme qu'il aurait dû éviter. Il avait eu envie d'elle et il était passé à l'acte sans se poser de questions. C'était ce qu'il faisait toujours — mais cette fois, son arrogance le dégoûtait.

Il pensa à sa conversation avec Bridget. Sur le moment, ses révélations avaient balayé toute autre considération, mais il se souvenait, tout à coup… Avant de commencer à se confier, elle avait voulu lui parler de Brianna. En regrettant qu'elle ait tourné le dos à l'amour, et aussitôt après, en parlant de l'impression qu'il lui avait faite. S'apprêtait-elle à lui confier que Brianna s'était attachée à lui ?

Dès qu'il se posa la question, il eut la réponse. Oui, bien sûr que oui ! Il lui avait dit d'emblée qu'il refusait de s'engager… pour démentir cette affirmation par mille et un petits gestes d'affection. Il ne comprenait toujours pas comment il s'était laissé entraîner sur cette pente, mais maintenant, il allait le payer.

Elle attendait toujours la réponse à sa question.

— Knightsbridge, dit-il d'une voix brève.

Il détestait l'explication qu'il allait devoir donner — et cette émotion très nouvelle le mettait dans une humeur exécrable. Dire que quelques heures plus tôt, ils faisaient éperdument l'amour, les longues jambes fines de Brianna enroulées autour de lui… Ce souvenir, accompagné d'une inexplicable bouffée de désir, le frappa de plein fouet.

— Knightsbridge, répéta Brianna, stupéfaite. Le quartier de Harrods ?

Elle n'était pas souvent venue à Londres, mais elle

savait tout de même que Knightsbridge en était l'un des quartiers les plus chic de la ville.

— C'est cela, oui.

Le building étincelant qui abritait son duplex se dressait justement devant eux. Il le désigna d'un geste du menton et vit les yeux de Brianna s'arrondir comme des soucoupes. Il n'avait encore rien trouvé à ajouter quand Harry gara la Range en souplesse. D'un geste, il invita sa passagère à descendre.

Plongée dans une sorte de rêve éveillé, Brianna ne remarqua ni l'élégance du hall d'entrée ni le luxe de l'ascenseur ; elle ne reprit ses esprits qu'en pénétrant dans l'entrée d'un appartement immense. Le dos à la porte, elle regarda Leo allumer le lustre avec une télécommande, clore un store avec une autre et se tourner vers elle, la main glissée dans la poche de son jean. Ils se regardèrent en silence ; il fut le premier à parler.

— Voilà, dit-il. Il est tard, tu es très fatiguée ; tu peux te coucher tout de suite, si tu veux, il y a cinq chambres. Ou nous pouvons parler.

— C'est ici que tu habites ? Ce n'est pas une blague ?

Dans l'entrée, le sol était en ardoise ; dans le salon, un parquet bien ciré s'étalait devant elle. De sa place, elle apercevait des murs blancs et une immense toile abstraite.

— Oui, c'est chez moi.

Il passa devant elle et disparut dans le salon. Ne sachant que faire, elle le suivit et se retrouva dans une pièce toute blanche : cloisons, tapis, sièges de cuir… L'unique touche de couleur venait des tableaux monumentaux.

— Je te croyais fauché…

Furieuse, elle contempla le siège qu'il lui indiquait. Comme elle laissait échapper un nouveau bâillement, il lui proposa une nouvelle fois d'aller se reposer.

— J'aimerais mieux comprendre ce qui se passe ! protesta-t-elle.

— Dans ce cas, tu vas avoir besoin d'un verre…

Avec un calme qui la mit hors d'elle, il se dirigea vers un bar vitré. Pendant qu'il s'affairait, elle jeta un regard furtif à ce décor qui l'impressionnait malgré elle. Quelques instants plus tard, il lui tendait un verre à demi rempli d'un alcool ambré.

Leo s'assit près d'elle en chauffant son propre verre entre ses paumes. Décoiffée, les joues rouges et les yeux brillant de colère, elle lui semblait toujours aussi belle. Il remarqua qu'elle ne le regardait plus en face ; un nouvel accès de dégoût de lui-même le poussa à énoncer avec une certaine brusquerie :

— Nous n'aurions jamais dû coucher ensemble.

— Mais… pourquoi ?

— Parce que…

Il fit tourner son verre entre ses mains, en avala une lampée et reprit, un peu réconforté :

— Quand je suis arrivé à Ballybay, je n'avais pas du tout l'intention de rencontrer quelqu'un. Cela s'est fait tout seul, mais les choses n'auraient jamais dû aller aussi loin entre nous. Je m'en veux, Brianna, c'est entièrement ma faute.

Une douleur subite la transperça. C'était Leo qui lui disait cela ? Dire qu'elle commençait à croire qu'il resterait auprès d'elle, qu'ils exploreraient leurs sentiments… Une vague de sang lui monta aux joues.

— Et pourquoi donc ? lança-t-elle d'un air de défi.

— Parce que, malgré ce que tu pouvais dire, je te situais bien. Tu t'es présentée comme une fille solide ne cherchant pas de relation durable, qui ne voulait rien d'autre que du sexe sans complications. J'ai choisi de te croire car j'avais très envie de toi. J'ai ignoré l'évidence : le fait que tu n'étais pas du tout aussi pragmatique que tu voulais le faire croire.

C'était insoutenable : alors même qu'elle se raidissait pour répliquer, sa bouche restait tendre et généreuse… Incapable de rester assis près d'elle, Leo se leva.

— Mais je me débrouille très bien toute seule !

Il se mit à aller et venir dans la pièce, sans rien voir du décor trop familier ou du panorama fabuleux de Londres dans la nuit. D'un trait, il vida son verre et le posa sur la table basse — un meuble d'acier martelé qui avait dû coûter une fortune.

— Tu as repris le pub de ton père, articula-t-il, et tu l'as remis à flot à la force du poignet. Ce n'est pas de cela que je te parle. Je t'avais dit que j'étais seulement de passage, et ça n'a pas changé. Pas pour moi. Je… je regrette.

— J'ai bien compris la situation.

Le cœur gonflé d'émotion, il vit qu'elle crispait les mains sur son verre pour les empêcher de trembler. D'une petite voix obstinée, elle reprit :

— Ce que je ne comprends pas du tout, en revanche…

Elle esquissa un geste qui englobait la pièce, vitrée d'un côté du sol au plafond, les tableaux abstraits, le mobilier ultramoderne.

— … c'est ton train de vie.

Il soupira en se frottant les yeux. Il était bien tard pour se lancer dans une discussion pareille, mais puisqu'elle insistait…

— Je n'ai pas changé de métier, Brianna.

— Pardon ?

— Je travaille toujours. Je n'ai jamais plaqué mon job.

Cette idée lui arracha un rire sans joie. Son travail, c'était sa vie, son identité, depuis toujours… à part pour quelques semaines d'évasion, à Ballybay. Voyant qu'elle le dévisageait sans comprendre, il soupira :

— Je suis à la tête d'une grande entreprise. Voilà comment je peux m'offrir cet appartement, et aussi une maison aux Caraïbes, un penthouse à New York et un autre à Hong Kong. Bois, tu te sentiras un peu mieux. C'est un gros morceau à encaisser, j'en ai bien conscience, mais comme je te l'ai dit, je ne prévoyais pas de m'impliquer autant… Je n'imaginais pas que je finirais par tout t'avouer.

Brianna sentit l'alcool lui brûler la gorge. Mille questions se pressaient sur ses lèvres, mais un constat unique, fondamental, les relégua toutes au second plan : Leo lui avait menti. Etourdie par le choc, elle s'entendit murmurer :

— Tu n'es pas un écrivain…

— Brianna, je suis désolé. Je n'ai plus rien écrit depuis le lycée et même là, ce n'était pas ma meilleure matière.

Elle ne pleurait pas. Leo ne comprenait pas pourquoi cela rendait la scène encore plus pénible. Il lui était déjà arrivé de licencier des employés et de quitter des femmes, mais rien ne l'avait préparé à ce qu'il éprouvait en ce moment.

— Bon !

Nerveux, il se leva et se remit à arpenter la pièce. Il s'était déjà excusé, et même plusieurs fois — que pouvait-il faire de plus ? C'était tout de même insensé : il avait toujours prévenu ses amies qu'il ne s'engagerait pas ; certaines avaient cru qu'il ferait une exception pour elles, mais il n'avait jamais éprouvé le moindre regret en leur disant adieu.

— Qu'est-ce que tu es venu chercher à Ballybay ? demanda-t-elle. Tu t'es dit un beau jour qu'il te fallait des vacances ? Tu as eu envie de te rapprocher du petit peuple ? On peut dire que tu as choisi un rapprochement assez intime !

Avec un rire amer, elle enfonça le clou :

— Pauvre Leo ! Ç'a dû être très dur de te retrouver coincé au pub, avec un confort rudimentaire, obligé de pelleter de la neige et de faire la vaisselle. Ta voiture de luxe et tes fringues de créateurs ont dû terriblement te manquer !

— Le sarcasme ne te va pas, Brianna…

Il réussit à dire cela d'une voix égale, mais il trouvait très difficile de soutenir son regard vert accusateur. Déjà, elle reprenait :

— Oh ! je suis désolée de t'avoir froissé ! Je ne sais pas pourquoi je fais un drame, ce n'est pas bien grave, je viens juste de découvrir que le type avec qui je couchais est un menteur.

— Ce que j'ai pu te dire ne retire rien à la passion que nous avons partagée, toi et moi.

Ils s'affrontaient du regard. Incroyable ! pensa Brianna en serrant les poings. Même maintenant, son corps répondait encore à la vibration primitive qui émanait de celui de Leo. A bout de nerfs, elle cria :

— Mais pourquoi te donner la peine d'inventer une histoire absurde sur ton envie d'écrire ! Qu'est-ce qui t'empêchait de dire que tu étais un homme d'affaires venu se mettre au vert ? Tu ne te supportais plus ? Tu voulais passer tes vacances dans la peau de quelqu'un d'autre ?

Même avec son regard braqué sur le sien, elle remarquait encore la perfection du corps de Leo. C'était plus que déplacé dans un moment pareil ! Il hésita, et finit par lâcher :

— C'est un peu plus compliqué…

— Je ne vois pas pourquoi !

Prise d'un vertige subit, elle se redressa, très droite, les mains à plat sur les genoux. De très loin, elle entendit la voix de Leo qui disait :

— Je suis venu à Ballybay pour une raison bien précise…

Leo découvrait qu'il détestait être sur la sellette. Et soudain, le raffinement presque clinique de son environnement l'irritait profondément. Sans pouvoir s'en empêcher il comparait l'élégance froide et racée de son living au petit salon douillet, à l'arrière du pub. Ce n'était pas ici qu'ils auraient dû avoir cette discussion. En même temps, cela se serait-il mieux passé dans un décor plus chaleureux ? Sans doute que non. Allez, il fallait en finir ! Elle aurait de la peine, mais elle s'en remettrait. Ce n'était pas comme s'il lui avait promis quoi que ce soit.

Il voulut même se dire, sans y croire tout à fait, que l'expérience lui serait bénéfique : il avait tout de même abattu la barrière de glace dont elle s'entourait, avait éveillé sa sensualité endormie depuis trop longtemps. Maintenant, elle pouvait avancer, se trouver un homme pour la vie… Cette idée le hérissa tant qu'il l'écarta aussitôt. Le moment était mal choisi pour se perdre dans des considérations secondaires.

— Quelle raison ? demanda-t-elle, le ramenant soudain à la réalité.

— Je cherchais quelqu'un.

— Qui donc ?

— Ce serait peut-être plus simple si je te parlais de moi.

— Tu veux dire : en dehors des mensonges que tu m'as déjà servis ?

— Ils étaient nécessaires, ou du moins je l'ai cru sur le moment.

— Les mensonges ne sont jamais nécessaires.

— C'est une notion dont nous pourrons débattre une autre fois. Pour l'instant, je dois t'expliquer que j'ai été adopté à la naissance. J'ai retrouvé la trace de ma mère biologique il y a quelques années ; je suis venu à Ballybay pour voir quel genre de femme elle était.

Brianna le dévisagea, bouche bée. De quoi parlait-il ? Comment pouvait-il rester assis là, bien tranquillement, comme s'ils menaient une discussion tout à fait normale ?

— Tu as été adopté…, répéta-t-elle d'une voix sans timbre.

— J'ai grandi dans un très bon milieu, l'enfant unique d'un couple adorable qui ne pouvait pas avoir d'enfants. J'ai eu l'enfance dont rêvent tous les gosses.

— Mais tu ne voulais pas connaître ta vraie mère ?

— Je ne dirais pas que c'est la vraie. Tant que mes parents adoptifs étaient encore en vie, non, je n'ai pas eu envie d'aller à sa rencontre. Je les aimais de tout mon cœur et j'aurais eu peur de les blesser.

— Mais quand ils sont morts, tu as décidé de retrouver ta…

— Je savais où la trouver. J'avais pris mes renseignements.

Médusée, Brianna ne put que le dévisager en silence.

— Et en arrivant à Ballybay, tu as fait semblant d'être quelqu'un d'autre parce que… ?

— Parce que c'était plus petit que je ne m'y attendais, avoua-t-il. Je voulais en apprendre davantage sur elle sans révéler mon identité.

— Tu veux dire… Si tu t'étais présenté tel que tu es, ta mère, pardon, ta mère biologique aurait tenté… quoi ? Elle jeta un regard de mépris à son luxueux appartement et le toisa de nouveau.

— Tu as cru que si elle savait à quel point tu étais riche, elle chercherait à profiter de toi ?

Il écarta la question d'un geste.

— Je ne laisse personne profiter de moi. Non, je n'ai révélé ni mon identité ni la raison de ma venue parce que je n'étais pas encore sûr de ce que je ferais des renseignements que j'allais glaner.

— Comment peux-tu parler comme cela, aussi froidement ? J'ai l'impression de discuter avec un inconnu.

Leo se laissa aller contre le dossier de son siège en se massant les tempes. C'était à n'y rien comprendre : il se montrait franc, il révélait tout, et pourtant il se sentait de plus en plus coupable. L'attitude détachée qu'il affichait se fissura ; d'une voix tendue, il murmura :

— Un inconnu avec qui tu as fait l'amour un nombre incalculable de fois.

Un sujet qu'il aurait mieux fait d'éviter, sous peine d'avoir à lutter sur un front supplémentaire, de devoir repousser le souvenir du corps lisse de Brianna sous ses mains, le grain de sa peau, la douceur de ses seins, la toison entre ses cuisses… De toutes ses maîtresses, aucune n'avait jamais répondu à ses caresses avec autant de sincérité. Brianna ne faisait jamais semblant, elle ne cachait rien de ce qu'elle ressentait…

— J'aurais mieux fait de m'abstenir, répondit-elle, amère.

— Tu ne penses pas vraiment ce que tu dis. Quelle que soit l'opinion que tu as de moi en ce moment, nos corps se sont toujours entendus.

Une nouvelle poussée de désir enflamma ses sens. C'était détestable, cet élan qui franchissait toutes les barrières.

— Et tu l'as trouvée ? demanda-t-elle sèchement.

Il hésita un bref instant avant de répondre :

— Oui.

— Qui est-ce ?

— En ce moment, elle est au Cromwell Hospital.

Bridget ? Brianna fit mine de se lever et retomba dans son siège, sans forces. Voilà, elle comprenait tout, maintenant ! Leo s'était arrangé pour savoir qu'elle connaissait sa mère, qu'elle était même son amie. Quand avaient-ils parlé de Bridget pour la première fois ? Avant qu'il ne décide de prolonger son séjour, ou après ? Avant. Et cela, c'était insupportable : cela signifiait qu'il s'était servi d'elle. Il avait eu besoin d'un intermédiaire et pour la charmer, pour endormir ses soupçons, il avait endossé ce rôle d'écrivain. Quand elle le voyait rester des heures devant son ordinateur, ce n'était pas pour écrire, mais pour communiquer avec ses collaborateurs, pour diriger sa fichue entreprise du fin fond de ce coin perdu où il ne serait jamais venu de son plein gré. Et elle, dès le premier soir, elle s'était pâmée comme une lycéenne ; en trois jours, elle était tombée dans ses bras et dans son lit. Un petit bonus pour lui, un moyen de mettre un peu de piquant dans son exil !

— Bridget est au courant ?

Cette voix blanche, ce visage inexpressif… Leo avait beau se répéter qu'il n'avait jamais été question, entre eux, d'une relation durable, cela ne l'aidait pas.

— Non, dit-il.

— Tu comptes lui dire quand ?

— Quand le moment me semblera propice.

— Mais si tu voulais retrouver ta mère, si tu ne redoutais pas qu'elle te soutire de l'argent — pourquoi te cacher ? Pourquoi ne pas faire plaisir à tout le monde en arrivant en fanfare tel le fils prodigue !

— Je ne savais pas ce que j'allais trouver. Je soupçonnais que ce ne serait pas… comment dire… pas très reluisant.

— Je vois. Je comprends mieux tes mises en garde quand tu as su qu'elle viendrait se reposer au pub en sortant de l'hôpital.

Un nouveau coup de poignard… Implacable, elle ajouta :

— Comme elle ne parlait pas de son passé, tu as conclu qu'elle était une femme horrible qui allait forcément profiter de moi. Qu'est-ce qui t'a fait changer d'avis ?

Comme il haussait les épaules, Brianna se leva et alla se camper devant la baie vitrée. C'était la seule réponse à laquelle elle aurait droit ? Quel type odieux, insupportable ! Pendant quelques instants, elle contempla le panorama de la ville — à cette hauteur, on ne distinguait pas un seul être humain — puis, délibérément, elle retourna à son fauteuil en s'ordonnant de se détendre. Leo ne devait jamais savoir à quel point ce qu'elle venait d'apprendre l'affectait.

— Donc, tu te servais de moi depuis le début, dit-elle avec un calme dont elle se sentit fière. Tu es arrivé à Ballybay, tu as compris que ce ne serait pas aussi simple que prévu de te renseigner sur Bridget. On allait commenter ta présence, faire des recoupements entre les questions que tu posais aux uns et aux autres… Tu t'es donc choisi une identité et dès que tu as su que je fréquentais ta mère — pardon, ta mère biologique — tu as décidé que ce serait une bonne idée de… mieux me connaître.

Toujours pas de réponse ! Elle serra les dents. Voilà le plus odieux : qu'il ne se sente même pas obligé de se justifier. Eh bien, elle serait aussi forte que lui, aussi détachée — pour l'instant, en tout cas. Plus tard, il serait toujours temps de lâcher la bride à ses émotions. Le barrage s'effondrerait, emportant tout sur son passage…

L'expression de Leo était impassible, indéchiffrable… où était l'homme avec qui elle avait tant ri ? Tant fait l'amour ? Qui était cet inconnu implacable assis en face d'elle, et comment avait-elle pu commettre une erreur aussi colossale pour la seconde fois ? Elle avait connu Leo beaucoup moins longtemps que Danny, mais elle savait déjà que sa trahison lui ferait cent fois plus mal.

— Je pars du principe que tu as décidé de coucher avec moi pour obtenir des informations sur Bridget, dit-elle. Ou alors juste parce que c'était offert sur un plateau…

La rancœur perçait dans sa voix. Il n'avait pas eu à lever le petit doigt pour l'attirer dans son lit : elle y avait bondi d'elle-même.

Le visage de Leo se durcit. La conclusion de Brianna lui laissait un goût amer, mais à quoi bon nier, à quoi bon contester ? En engageant le débat sur ses motivations, il ne ferait que prolonger l'échange, or ils avaient tous deux besoin d'une rupture franche. Pourtant, il s'entendit protester confusément :

— Nous étions bien ensemble. Je me suis déjà excusé vingt fois, je suis sincère…

— Sauf que moi, je ne me servais pas de toi.

Elle avait choisi de ne pas relever ses excuses ; il supposa que vu le contexte, elles n'avaient pas de sens pour elle.

— Je…

Il hésita, mais comme il ne voyait pas comment la contredire, il se contenta de répéter :

— Cela ne retire rien à ce que nous avons partagé, tous les deux. C'était réel.

— Le sexe était réel ? Parce qu'à part ça, il n'y avait rien entre nous. Tu m'as menti sur toute la ligne.

Elle se leva et reprit son manteau, jeté sur le dossier d'un canapé.

— Où vas-tu ? s'écria-t-il.

— A ton avis ? Je m'en vais.

— Pour aller où ? Pour l'amour du ciel, Brianna, il y a des chambres à foison ici, tu n'as que l'embarras du choix. Je comprends bien que tu as eu un choc, mais tu ne peux pas partir comme cela. Tu n'as nulle part où aller !

Sa rage contre lui-même, contre cette situation tout entière, donnait à sa voix une note presque féroce. Il se leva, s'avança vers elle… et s'arrêta net devant son regard de défi. Ils restèrent plantés l'un en face de l'autre. La voir comme cela, transformée en statue de glace, cela le rendait fou, lui donnait envie de casser quelque chose… Choqué par la violence de sa réaction, il se détourna brusquement. Très bien ! Si elle voulait partir, il la laisserait faire. Et tant pis si son corps la regrettait déjà.

Quand il se détourna d'elle, ce fut le coup de grâce. Brianna comprit qu'il ne pouvait même plus la regarder. Il l'avait désirée, et maintenant il l'écartait de sa vie sans un regard. Maintenant qu'il avait retrouvé sa mère, il n'avait plus rien à lui dire.

Soudain, il lança :

— Où iras-tu à une heure pareille ? Brianna, je t'en prie…

Elle aurait aimé lui dire que la dernière chose qu'elle puisse faire serait de dormir chez lui. Elle recula vers la porte en murmurant :

— J'irai à l'hôpital.

— Et qu'est-ce que tu y feras ! Les visites sont terminées depuis longtemps, et je ne crois pas qu'ils autorisent les amis des patients à passer la nuit dans la salle d'attente.

Elle sentit l'effort qu'il faisait pour adoucir sa voix quand il reprit :

— Tu as ma parole que je ne m'approcherai pas de toi. Tiens, je partirai, moi, si tu préfères. J'irai à l'hôtel.

Elle secoua la tête, excédée. Pensait-il qu'elle avait peur qu'il n'enfonce la porte de sa chambre ? Croyait-il sérieusement qu'elle serait assez stupide pour redouter une chose pareille, après ce qu'ils venaient de se dire ?

— Tu peux partir ou rester, Leo, franchement, je m'en moque. Moi, je vais à l'hôpital et non, je n'essaierai pas de passer la nuit sur le canapé. Je veux juste laisser une lettre aux infirmières pour qu'on la donne à Bridget demain matin. Pour lui expliquer que j'ai dû rentrer au pub.

— Quelle explication comptes-tu lui donner ?

Ces cernes sous ses yeux… C'était sa faute. Rongé par la culpabilité, Leo insista :

— A moins que tu ne comptes lui dire qui je suis ?

— Je ne ferais jamais une chose pareille. Le fait que tu puisses me poser la question montre juste à quel point tu me connais mal. Aussi mal, en somme, que je te connais.

Le visage de Leo changea ; pendant un instant, ce

fut comme si elle le retrouvait. Mais elle releva la tête avec orgueil pour ajouter :

— Je sais que tu me crois amoureuse de toi, mais tu te trompes. Je suis juste bouleversée, parce que je ne t'avais pas pris pour un menteur et un profiteur. Maintenant que je sais ce que tu es vraiment, je suis contente que ce soit terminé. A côté de toi, Daniel était un vrai cadeau.

A voir la rougeur affleurer sous sa peau brune, elle venait de faire mouche : il avait répété assez souvent que Daniel n'était qu'un loser. Bien, elle l'aurait au moins un peu puni, cela devrait lui suffire. Elle releva le menton, le regarda droit dans les yeux et lâcha :

— Après l'hôpital, je trouverai une chambre d'hôtel à un prix raisonnable et je prendrai le premier vol pour rentrer.

— Nous ne sommes pas à Ballybay, c'est dangereux de courir Londres en pleine nuit à la recherche d'un hôtel correct.

— Je prends le risque. Et quand j'aurai franchi cette porte, je ne veux plus jamais te revoir.

7.

— Vous ne vous y attendiez pas ?

Son médecin dévisageait Brianna avec un certain trouble. La grossesse d'une femme célibataire était encore un événement assez exceptionnel en Irlande rurale.

Elle le regarda fixement sans répondre. Elle avait un peu le vertige. Voilà un peu plus d'un mois que Leo était sorti de sa vie. Depuis, ils n'avaient pas échangé un mot, mais elle avait tout de même de ses nouvelles par Bridget, qui décrivait à longueur de mails sa joie d'avoir retrouvé son fils perdu. Car Bridget vivait maintenant à Londres, chez Leo, où elle bénéficiait de tous les soins que peut procurer une immense fortune. Elle n'avait même pas eu besoin de demander qu'on lui expédie ses vêtements : Leo l'avait rhabillée de neuf. Elle était aux anges.

Entre les lignes de ces courriels euphoriques, Brianna ne trouvait jamais les réponses aux questions qu'elle se posait. Leo parlait-il parfois d'elle ? Y avait-il quelqu'un dans sa vie ? Et maintenant, cette nouvelle ahurissante…

— Non, dit-elle. Je ne m'attendais pas à me retrouver…

Elle n'arrivait pas encore à prononcer le mot. Enceinte ? Ils avaient toujours fait si attention, comment… ? Mais oui, bien sûr, le préservatif déchiré ! Elle posa la main sur son ventre encore plat en murmurant :

— Mon cycle a toujours été irrégulier. Je n'avais même pas remarqué que je n'avais plus mes règles…

Parce qu'elle travaillait trop, parce qu'elle pensait trop à Leo, parce qu'il lui manquait trop. Depuis leur dernière discussion, elle vivait en pilote automatique, au point de n'avoir rien remarqué !

— Qu'allez-vous faire, maintenant ?

Elle leva les yeux vers le vieux médecin qui l'avait mise au monde, elle et deux générations des habitants de Ballybay.

— Je vais avoir ce bébé, docteur Fallow, et j'en serai très fière !

Il répondit à son regard de défi par un sourire attendri.

— Je n'en attendais pas moins de la fille d'Annie Sullivan. Et le père ?

Et le père ? Cette question la hanta pendant les jours qui suivirent. Devait-elle ou non annoncer la nouvelle à Leo ? Il s'était servi d'elle, l'avait écartée puisqu'elle ne lui servait plus à rien ; un homme comme lui méritait-il de savoir ? En prenant tant de précautions, ne montrait-il pas clairement qu'il ne voulait pas d'enfant ? Comment réagirait-il si elle se présentait à sa porte ? Il ne pourrait rien lui reprocher, mais il en voudrait au destin de lui avoir porté un tel coup bas.

En même temps, comment pourrait-elle ne rien lui dire ? Comment cacher à un enfant adopté l'existence de son propre enfant ? S'il l'apprenait plus tard, il devrait vivre avec l'idée insupportable que son fils ou sa fille grandirait en croyant qu'il n'avait pas voulu le reconnaître. Il verrait sa propre histoire se répéter.

Les arguments pour et contre défilaient en continu dans sa tête — sans parvenir à gâcher sa joie. Oui, elle était heureuse de cette grossesse qui allait bouleverser sa vie. Elle jubilait ! Jusqu'ici, comme elle n'avait pas d'homme dans sa vie, elle ne se posait guère la question de savoir si elle voulait être maman. Maintenant que la vie lui offrait ce cadeau, la réponse était oui, mille fois oui. Même si elle aurait difficilement pu choisir un plus mauvais candidat pour le rôle du père, elle se sentait émerveillée devant la vie qui grandissait en elle.

Une vie qui ne tarderait pas à devenir visible. Une grossesse ne reste pas longtemps discrète ; dans quelques semaines, tout le monde à Ballybay commenterait sa situation, Bridget l'apprendrait forcément… En fait, Brianna n'avait pas le choix : Leo saurait de toute façon, elle devait donc être la première à le lui apprendre.

Elle décrocha le téléphone un après-midi, sachant qu'elle avait un peu de temps devant elle avant que le premier client ne pousse la porte du pub. Machinalement, elle jeta un regard à la salle propre comme un sou neuf, aux boiseries lustrées… Cela lui coûtait de plus en plus d'efforts d'obtenir cet effet, pensa-t-elle en composant le numéro. Qui aurait cru qu'une grossesse fatiguait autant ? Elle allait devoir refaire ses comptes, trouver le moyen de recruter quelqu'un, au moins pour quelques heures par semaine. Shannon et elle ne s'en sortiraient pas toutes seules.

Cet enfant serait un grand bonheur…, mais l'aspect financier posait tout de même quelques difficultés. Leo réagirait sans doute en lui proposant de l'argent, histoire de se dédouaner — résultat, elle se sentirait toujours une dette envers lui… Elle comprit subitement qu'elle ne pourrait plus jamais couper le contact avec lui. Même s'il se contentait de leur rendre visite de loin en loin, quand ses affaires lui en laisseraient le loisir, il serait toujours présent dans sa vie, en filigrane. Elle le suivrait de loin, saurait quand il rencontrerait quelqu'un — une femme à qui il n'aurait pas menti. Tôt ou tard elle le verrait heureux, marié, papa. C'était tout simplement insupportable.

La voix de Leo, grave et distante, l'arracha à son rêve éveillé. Aussitôt, elle le revit ici, dans la salle du pub, riant parce qu'elle le taquinait, la regardant comme il l'avait souvent fait, ses yeux mi-clos brûlant de désir. Ses muscles s'animaient sous sa peau et…

— C'est moi, dit-elle, le souffle court.

Gênée, elle s'éclaircit la gorge et s'ordonna de se reprendre.

— Oui, Brianna, lâcha Leo.

Il se leva pour aller fermer la porte de son bureau. Ce coup de fil arrivait à l'instant précis où il s'apprêtait à partir. Depuis que sa mère coulait chez lui une convalescence heureuse, il avait pris l'habitude de rentrer plus tôt. C'était étonnant comme il se sentait davantage d'énergie, un nouvel équilibre, depuis qu'il la connaissait. Bridget ne remplacerait jamais les parents qui l'avaient élevé, mais sa présence guérissait une vieille blessure. Qui aurait cru que le lien du sang serait aussi puissant ?

Il revit le moment où il s'était assis à son chevet à l'hôpital en prenant sa main dans la sienne. Un pas difficile à franchir, mais en la voyant allongée là, si frêle, si déconcertée par le luxe qui l'entourait, il lui avait semblé que le moment était venu de tout dire.

Et il avait tout dit. De façon hésitante pour commencer, en essayant de trouver les mots qui combleraient trente ans d'absence. Dès les premières phrases, il avait vu ses yeux se remplir de larmes, senti sa main trembler dans la sienne. Qui aurait pu imaginer que son voyage en Irlande le mènerait à cet instant ? Ses façons de voir et de penser avaient changé, une nouvelle vie s'ouvrait devant lui, il apprenait à exprimer ses sentiments… Il s'était ouvert à sa mère, l'avait interrogée sur sa vie et répondu aux milliers de questions qu'elle lui posait sur la sienne. Il avait franchi un cap. Désormais, il acceptait de ne pas tout maîtriser.

— Comment va Bridget ? demanda la voix au bout du fil.

— Je croyais que vous vous téléphoniez, que vous échangiez des mails ?

Il fit pivoter son grand fauteuil vers la fenêtre et le panorama fabuleux de la ville. Cela lui avait demandé un effort inattendu de renoncer à Brianna — peut-être parce que la présence de Bridget à ses côtés entretenait son souvenir. Elle n'avait aucune place dans sa vie, c'était évident, mais une part irrationnelle de lui-même le regrettait. Parfois, au milieu d'une réunion, il perdait subitement sa concentration. Il lui arrivait assez souvent de rêver d'elle ; les douches froides devenaient la règle plutôt que l'exception. Il découvrait que la façon dont il avait géré ses ruptures précédentes ne fonctionnait pas cette fois.

Sachant que Bridget et Brianna étaient en contact permanent, il s'interdisait de céder à la curiosité en demandant des informations à sa mère. Que devenait Brianna ? Avait-elle trouvé quelqu'un pour prendre sa place dans son lit ? Maintenant qu'elle avait lâché la bride à sa stupéfiante sensualité, elle ne reprendrait sûrement pas sa vie de nonne. Qu'elle se soit ou non attachée à lui, elle était mûre pour se jeter dans les bras du premier venu. Lui qui ne pensait avoir aucune imagination, il cherchait souvent à se représenter où elle était, ce qu'elle faisait…

Ces pensées défilèrent en un éclair dans son esprit. Il savait que Brianna n'appelait pas pour prendre des nouvelles de Bridget, aussi demanda-t-il froidement :

— Qu'est-ce qui t'amène ?

Brianna perçut clairement l'indifférence dans sa voix. Il s'était donc distancié à ce point ? Sur le moment, sachant ce qu'elle avait à lui dire, cela ne lui semblait pas possible.

— Il… Il faut que je te parle.

— Je t'écoute. Mais fais vite, j'allais rentrer chez moi.

— Ce serait mieux de se voir.

— Pourquoi ?

Elle dut lutter contre une subite envie de pleurer. Etait-ce sa grossesse qui la rendait si émotive ?

— Tu pourrais être un peu plus courtois, Leo ! Je sais que je ne te suis plus d'aucune utilité, mais tu pourrais tout de même me parler autrement.

— Tu veux me demander de l'argent ?

— Pardon ?

Parce qu'il s'en voulait de ses pensées trop tendres, Leo passait sa colère sur elle. Il se rendait bien compte qu'il était injuste, mais, une fois de plus, il ne s'excusa pas.

— Tu sais que je suis riche, maintenant. Bridget a dû te parler du plaisir qu'elle a à vivre de cette façon. Je te demande si tu as décidé de me laisser t'en faire profiter aussi, en souvenir du bon vieux temps ?

Il se tut, assez choqué, en se demandant si c'était bien lui qui disait ces horreurs. Il ne se reconnaissait plus.

Dans le petit réduit entre le bar et le salon, Brianna se cramponnait de toutes ses forces au combiné. Leo se rendait-il compte à quel point il se montrait insultant ? Oui, sans doute, et il s'en fichait. Comment avait-elle pu se tromper à ce point sur son compte ? Décidément, elle ne savait pas juger les hommes — ou une naïveté stupide la poussait à accorder le bénéfice du doute aux êtres les plus toxiques !

— Tu as souvent dit que le pub aurait besoin d'un relooking, enchaîna la voix à son oreille. De nouveaux tabourets, un ravalement, des canapés plus modernes…

Dans son souvenir, ces canapés étaient parfaits. Une fois qu'on s'enfonçait dans les coussins, on pouvait y rester des heures. Il s'entendit ajouter :

— Eh bien, d'accord. Vendu. C'est ma tournée. Considère ça comme un remerciement.

— Comme c'est généreux de ta part, Leo !

Elle brida sa rage, réussit à contrôler sa voix.

— Ce dont je veux te parler pourrait, à terme, avoir

un rapport avec l'argent, dit-elle, mais je dois te voir en personne.

Il se sentit presque déçu. D'autres femmes pouvaient chercher à se faire entretenir, mais pas elle, pas Brianna. Il s'était manifestement trompé sur son compte !

— Dis ton chiffre, lâcha-t-il.

— Non. Ce que je te demande, c'est de trouver un moment libre dans ton agenda. Je viendrai à Londres. Ce sera l'occasion de voir Bridget.

— Je n'ai pas de moment libre en journée. Je peux te voir demain soir, après 18 h 30. Et encore, je devrai reporter une conférence téléphonique.

Elle hésita. S'ils se voyaient en soirée, elle devrait prendre une chambre d'hôtel, en plus du coût du voyage…

— C'est à prendre ou à laisser, dit-il. On se retrouve à 19 heures au bistro près de mon bureau.

Il lui donna l'adresse. Tout en parlant, il s'efforçait de se représenter ce télescopage de Londres et Ballybay, Brianna assise à l'attendre dans ce lieu branché, sa stupéfiante beauté affublée de l'une de ces tenues dont elle avait le secret, probablement cet horrible imper vert décoloré qu'elle mettait souvent pour sortir. Dès que l'image s'imposa à lui, son corps s'éveilla. Il n'avait qu'à penser à elle pour la désirer.

Demain, se promit-il, il feuilletterait son carnet d'adresses. Il trouverait une femme à inviter, histoire de se changer les idées. Bridget ne lui parlait jamais de Brianna, elle n'avait jamais évoqué leur discussion interrompue au pub. Elle ne trouverait pas cela bizarre qu'il sorte avec quelqu'un.

— Alors ? lança-t-il avec un brin d'impatience. Décide-toi, tu y seras ?

— J'y serai. A demain.

Brianna ne dormit presque pas de la nuit, ballottée entre la pensée de ce bébé inattendu mais désiré, tellement désiré, et la perspective de revoir Leo. Le temps d'atterrir à Londres, elle était sur les nerfs, et aussi très fatiguée. La météo s'était améliorée, mais au cas où, elle avait mis son vieil imperméable ; plus elle s'enfonçait dans le dédale de la City, plus elle se sentait décalée, ridicule dans ses fringues campagnardes. A presque 19 heures, les rues étaient bondées de passants en costume et tailleurs, attaché-case à la main, marchant au pas de charge…

Son taxi la déposa devant le bistro. Elle hésita quelques instants sur le trottoir, une main serrée sur la poignée de sa vieille valise à roulettes, l'autre enfoncée dans la grande poche de son imperméable. Pour une fois, son courage l'abandonnait, et elle dut se retenir de héler un autre taxi pour retourner à l'aéroport…

Des clients entraient et sortaient du bistro ; leur look la rendit encore plus consciente de sa propre apparence. Enfin, elle respira à fond et poussa la porte comme on entre dans la fosse aux lions. La salle, très bruyante, était bondée, et la clientèle exclusivement composée de jeunes cadres branchés ; une jeune femme qui marchait vite en faisant claquer ses talons, sa mallette serrée contre elle, se prit les pieds dans sa valise, lâcha un juron sonore et la regarda de haut en bas avant de lâcher d'un air méprisant :

— Pour l'amour du ciel, chérie, vous êtes perdue ? Regardez autour de vous, on n'est pas à la gare routière, ici !

Muette de saisissement, Brianna recula en jetant un regard affolé à la ronde. Leo ! Elle le repéra au fond de la salle, seul à une petite table, et se précipita vers lui, sa valise ondulant dans son sillage et heurtant quelques mollets au passage. De nouvelles insultes fusèrent.

Leo regarda Brianna s'approcher. Au milieu de tous ces citadins impeccables qui braillaient leurs commentaires désabusés pour se faire entendre malgré la musique, elle était belle et naturelle comme une fleur des champs. Il nota les regards que lui jetaient les hommes et se rembrunit.

Il avait mieux à faire que de la contempler, et il ne devait surtout pas la comparer aux gens arrogants et beaucoup trop payés qui l'entouraient. Elle était tout de même venue lui soutirer de l'argent ! Il fit signe à un garçon. Les autres clients devaient se faire servir au bar, mais il avait investi une somme rondelette dans ce bistro quelques années auparavant, au moment où l'établissement traversait une mauvaise passe. Il lui suffisait de claquer des doigts pour que le personnel se précipite.

— Je suis désolée, je suis un peu en retard…

Rouge, un peu essoufflée, elle semblait mal armée pour entamer une discussion. Ses cheveux, qu'elle portait tressés dans son dos, commençaient à se défaire. D'un geste du menton, il lui indiqua le siège en face de lui ; elle s'y laissa tomber en tirant sa petite valise près d'elle. Le visage inexpressif, il se renversa contre le dossier de son siège.

— Je ne m'attendais pas à ce qu'il y ait autant de bruit, soupira-t-elle.

Il jeta un regard distrait à la ronde et lui demanda ce qu'elle voulait boire — un verre d'eau. Il se serait attendu à ce qu'elle opte pour une boisson plus corsée afin d'affronter cette épreuve — mais chacun son style. Il commanda une eau minérale, un autre verre d'alcool pour lui, et s'enfonça dans son siège en affichant un profond ennui.

Et pourtant, alors même qu'il mimait une décontraction très éloignée de son ressenti réel, quelque chose en lui luttait pour ne pas croire le pire. Pourquoi ? Difficile à dire. Les mauvais points s'accumulaient : elle en avait après sa fortune et quand il s'était efforcé de lui expliquer la raison de ses mensonges, elle avait refusé de l'entendre. Elle lui avait tourné le dos et elle était partie sans plus jamais donner de ses nouvelles.

Elle n'avait encore rien dit. Le visage soucieux, elle retirait son imper. Il était furieux de constater que la vue de ce vêtement grotesque entamait son indifférence.

— Quel effet cela te fait-il ? demanda-t-elle à brûle-pourpoint.

— De quoi parles-tu ?

— Quel effet cela te fait-il d'avoir ta… d'avoir Bridget auprès de toi ? J'imagine que cela te fait chaud au cœur ?

Il ne sut que répondre. Personne n'était au courant, pour Bridget — personne à part Harry. Lui qui parlait très peu de sa vie privée ne voyait pas pourquoi il irait annoncer partout que sa mère vivait avec lui. Il contempla le visage franc et ouvert qu'elle levait vers lui et s'aperçut qu'il devait faire un gros effort pour conserver son attitude cynique.

— Cela fonctionne bien pour moi, concéda-t-il d'une voix bourrue.

C'était même très bon pour tous les deux. Bridget rajeunissait à vue d'œil, elle était allée chez le coiffeur, commençait à reprendre le poids perdu… A la place du petit oiseau fragile rencontré au pub de Ballybay, il découvrait une femme séduisante, pleine d'humour… C'était un bonheur secret de savoir que cette métamorphose s'opérait grâce à lui.

Le serveur apporta leurs boissons, ainsi qu'une petite assiette de canapés qu'il n'avait pas commandée. Il en prit un en murmurant :

— Tu n'es pas venue jusqu'ici pour parler de mes rapports avec Bridget.

— Non. Mais ça m'intéresse.

Brianna cherchait désespérément une entrée en matière. En se préparant à cette rencontre, elle avait oublié de tenir compte de l'impact de la présence de Leo. Dès que son regard sombre pesait sur elle, elle perdait tous ses moyens. Elle ne pouvait tout de même pas lancer sa nouvelle comme cela, de but en blanc ! Puis elle rassembla son courage. Tant pis si elle se trouvait en position de faiblesse et hors de son élément, elle ne se laisserait pas détourner de sa mission. Dans un sens, elle ne risquait rien, Léo lui avait déjà fait tout le mal qu'il pouvait lui faire — du moins l'espérait-elle.

A moins, glissa une petite voix sournoise dans sa tête, qu'elle ne cherche à prolonger ce moment avec lui ? A respirer un peu plus longtemps cette odeur subtile, très masculine, qui n'appartenait qu'à lui, à caresser des yeux ce corps qu'elle reconnaissait si bien, même sous un costume de créateur ?

— Dis-moi juste ce qui t'amène, Brianna. Tu as parlé d'argent. Qu'est-ce que tu attends de moi ?

— C'est toi qui as parlé d'argent. C'est plus compliqué que ça…

Elle se versa un peu d'eau minérale en lui enviant son verre d'alcool : un remontant lui aurait fait le plus grand bien ! Puis elle scruta le visage de Leo en pensant que c'était la dernière fois qu'elle le voyait comme cela, entièrement libre de ses choix, ne devant rien à personne. Pour l'instant, il se fichait de sa présence, mais dans un instant, elle tiendrait une place considérable dans son existence. Il allait ressentir des émotions tout à fait nouvelles. Maintenant qu'elle y pensait, il était peut-être préférable, en fin de compte, qu'ils aient cette discussion dans un lieu public !

— Leo… Je suis enceinte.

Tout d'abord, Leo crut avoir mal entendu. Puis il prit conscience de ce qu'elle lui disait de par son attitude, ses yeux baissés, ses joues rouges et sa main tremblante — et pourtant, il ne parvenait toujours pas à assimiler la nouvelle.

— Qu'est-ce que tu…

Il y avait un étrange vrombissement dans ses oreilles. Il se pencha en avant en l'interrogeant du regard.

— Je suis enceinte, répéta-t-elle. Je vais avoir ton

bébé. Je regrette, c'est sûrement la dernière chose que tu voulais entendre, mais il m'a semblé que tu devais le savoir. J'ai envisagé de ne rien dire, mais c'était impossible — tu sais comme les nouvelles circulent vite à Ballybay. Tôt ou tard, Bridget l'aurait su. Je n'aurais pas voulu lui cacher ça.

Pourquoi ne disait-il rien ? Elle qui s'attendait à une réaction instantanée, explosive… Il devait être sous le choc.

— Tu es en train de me dire que… tu vas avoir un bébé de moi ?

Il avait parlé d'un ton parfaitement neutre. Les mots lui faisaient l'effet d'une langue étrangère, difficile à prononcer, mais l'idée commençait à s'enraciner en lui. Quelques secondes plus tard, elle lui éclata au visage dans une clarté éblouissante. Le regard braqué sur le ventre plat de Brianna, il s'entendit poser toute une série de questions. Enceinte de combien ? Elle était tout à fait sûre ? Le médecin avait confirmé ? Elle répondit point par point et conclut :

— Je ne te demande rien. Il m'a juste semblé que tu devais être au courant.

— Il t'a semblé ! s'étrangla-t-il.

Pourquoi avait-il choisi ce bistro affreusement bruyant et impersonnel ? Une énergie folle courait dans ses veines ; chaque fois qu'il essayait de clarifier ses pensées, un seul fait lui revenait à l'esprit : d'ici à quelques mois, il serait père.

— J'imagine que tu voudras avoir ton mot à dire…

— Rassure-moi, tu plaisantes ? Tu arrives ici, tu lâches ta bombe et tout ce que tu trouves à ajouter, c'est qu'il te semblait que je devais être au courant ? Que je voudrais avoir mon mot à dire ? Viens, partons d'ici !

— Pour aller où ?

— Quelque part où il y aura moins de crétins bavards.

— Je n'irai pas chez toi.

Elle s'accrochait à son siège comme si elle redoutait qu'il l'emporte sur son épaule comme un homme des cavernes.

— Je n'ai encore rien dit à Bridget, je ne veux pas en parler tout de suite. Je… j'ai besoin de temps, moi aussi, pour m'y faire, alors j'aime autant rester ici. Ce n'est pas comme si nous avions encore beaucoup de choses à nous dire.

— Encore une réplique toute faite. Je n'arrive pas à le croire !

Il se prenait la tête à deux mains.

— Je suis désolée, murmura Brianna. Je me doute que c'est très inattendu, mais comme je te l'ai dit…

— Epargne-moi tes perles de sagesse, tu veux ?

Il releva la tête pour la regarder fixement.

— La situation étant ce qu'elle est, nous devons décider comment nous allons la gérer.

— Tu devrais peut-être prendre le temps de réfléchir un peu. Nous pourrions prendre rendez-vous pour nous revoir.

— Non, dit-il en se redressant, le regard toujours braqué sur elle. Le fait d'attendre ne changera rien au problème.

Elle se raidit, le visage fermé.

— Ce n'est pas ton problème, c'est le mien — et pour moi, ce n'est pas un problème. Je vais avoir ce bébé et je vais bien m'en occuper. J'admets que tu veuilles participer d'une façon ou d'une autre, mais…

— Tu crois sérieusement pouvoir me déballer une nouvelle pareille et t'en aller comme si de rien n'était ? Tu crois que je vais en rester là ?

— Je n'en sais rien. Il y a quelques semaines, j'aurais dit que l'homme qui pelletait la neige devant le pub n'en resterait pas là — mais tu n'étais pas vraiment cet homme. Alors, si tu veux une réponse franche, je n'ai pas la moindre idée de ce que tu vas vouloir faire.

Elle réfléchit un instant et se pencha vers lui, les mains serrées sur ses genoux.

— Si tu veux contribuer financièrement, j'apprécierais. Je n'attends rien pour moi, mais si tu m'aides à pourvoir aux besoins du bébé, ce serait une bonne chose. Tu connais l'état de mes finances…

— Je sais ce que tu penses de moi, mais personne ne peut m'accuser de fuir mes responsabilités. Et dans ce cas précis, mes responsabilités ne s'arrêtent pas à l'envoi d'un chèque mensuel pour acheter des petits pots.

— Ah ? demanda Brianna, tout à coup très mal à l'aise.

Qu'envisageait-il d'autre ? Inquiète, elle ajouta :

— Tu pourras le voir quand tu veux, mais ce ne sera peut-être pas simple, tu habites Londres…

Elle voyait d'ici la vie qu'ils mèneraient si Leo débarquait au pub quand il le voulait, sans prévenir ! Elle et son enfant vivraient dans l'expectative, pour des raisons différentes. Le souvenir de leur aventure, avant qu'elle ne comprenne qui Leo était vraiment, finirait-il par s'effacer ? Enfin, elle n'aurait pas le choix ! Un père doit pouvoir voir son enfant, même si c'était difficile pour elle.

— Un droit de visite ? Je ne crois pas, non.

— Je ne t'abandonnerai pas la garde de mon bébé.

— Notre bébé, corrigea-t-il.

Livide, elle le dévisagea. Elle n'avait pas pensé un seul instant qu'il chercherait à lui prendre le bébé. Manifestement, elle aurait dû ! En tant qu'enfant adopté, il tiendrait à être présent pour son enfant… Puis elle réussit à reprendre son souffle. Pas de panique. Quoi qu'il ait raconté pour déguiser son identité, et bien qu'il ne l'ait guère montré dans ses actes, Leo était un homme intègre. Il serait peut-être temps pour elle d'admettre qu'il n'avait pas menti simplement pour s'amuser — et ensuite, il pouvait difficilement revenir en arrière, changer de version.

La question fondamentale était de savoir si son intégrité le pousserait justement à se battre pour la garde du bébé. Il roulait sur l'or, elle était fauchée ou presque, et il pouvait estimer que l'enfant serait plus heureux auprès de lui. Dans un procès, il aurait toutes les chances de l'emporter.

— Tu peux arrêter de faire cette tête ? demanda Leo. Je n'ai aucune intention de me lancer dans une bagarre juridique pour te retirer la garde de notre bébé.

Leo fut surpris de la facilité avec laquelle les mots « notre bébé » lui étaient venus, cette fois. Le choc initial s'estompait. Il avait toujours été capable d'encaisser l'imprévu, d'entrevoir la solution au cœur de la crise.

Brianna poussa un immense soupir de soulagement.

— Dans ce cas, qu'est-ce que tu proposes ?

— La solution évidente : on se marie.

Ses yeux verts s'écarquillèrent.

— Comment ? Dis-moi que tu plaisantes.

— J'ai l'air de plaisanter ?

— Mais c'est une idée complètement démente !

— Explique.

— Mais… je ne sais même pas par où commencer ! Cela ne tient pas debout, Leo, on ne se marie pas parce que, tout à fait par accident, nous allons avoir un enfant. Nous venons de rompre. Nous… nous ne nous serions jamais revus sans ce bébé.

— Brianna, écoute-moi, dit-il très nettement. Je refuse de rester sur la touche. Je veux élever mon enfant. Il ne pourra jamais penser que son père n'a pas été là autant qu'il l'aurait voulu.

— Je ne te demande pas de rester sur la touche !

— Pas plus, enchaîna-t-il que je n'admettrais que tu trouves un autre homme qui assumera l'éducation de mon enfant.

— C'est peu probable ! Franchement, les hommes, j'en ai ma claque.

— Bien entendu, tu vas venir t'installer à Londres. Inutile d'attendre la vente du pub, ce sera plus simple de passer la main à un gérant qui le tiendra pour toi.

— Est-ce que tu écoutes un seul mot de ce que je te dis ?

— Et toi, tu m'écoutes ?

Il se pencha vers elle, persuasif tout à coup.

— J'espère que oui, parce que la proposition que je viens de te faire est la seule solution.

— Ce n'est pas un problème de maths, il n'y a pas de solution unique ! se récria-t-elle.

— Je ne comprends pas tes objections. J'espère que tu n'es pas assez égoïste pour faire passer tes préférences avant l'intérêt de notre enfant, énonça-t-il avec raideur.

Elle prit une profonde inspiration et, les yeux dans les siens, lui dit :

— Non. Non sur toute la ligne. Je ne pourrais pas vivre à Londres. Je ne pourrais pas épouser quelqu'un pour les mauvaises raisons. Ce serait un enfer. Nous ne nous supporterions pas, et ce serait le pire environnement possible pour élever un enfant. Ça crève les yeux !

— Quand tu ne savais rien de moi, articula-t-il d'une voix tendue, ses yeux sombres braqués sur son visage, tu espérais que nous resterions ensemble.

Quand il se penchait comme cela vers elle, il prenait tout l'espace, elle ne pouvait plus respirer.

— Je savais que tu ne resterais pas…

Elle suffoquait. Furieuse à l'idée de se trahir, elle insista :

— Tu l'avais dit. Tu t'es montré tout à fait clair.

— Et toi, tu n'as pas répondu à ma question. Tu espérais davantage.

— Je ne pensais pas que cela se terminerait comme ça !

— Mais c'est arrivé. Ça ne te plaît peut-être pas de me l'entendre dire, mais entre nous, cela fonctionnait.

En voyant la rougeur envahir les joues de Brianna, Leo sentit une bouffée de satisfaction s'épanouir dans sa poitrine. Elle pouvait toujours baisser les yeux, il savait précisément quel effet il lui faisait !

— Ce ne serait pas un mariage de raison, arrangé pour le bien de l'enfant. Ce serait une union dans tous les sens du terme. Reconnais-le : on était bien ensemble, tous les deux…

Dans un éclair, il revit son corps nu si pâle, entendit de nouveau les petits gémissements qui lui échappaient quand elle approchait de l'orgasme. A cette seule idée, il sentit son sexe durcir — et cette fois, il ne fit rien pour maîtriser son désir. Brianna revenait dans sa vie, il était libre de penser à elle, et cela lui faisait un bien fou.

— On n'était pas…, balbutia-t-elle.

— C'était bon, assena-t-il, et tu le sais aussi bien que moi. Tu veux que je te rafraîchisse la mémoire ?

Sans lui donner le temps de réagir, il se pencha par-dessus la petite table, saisit sa nuque et l'attira à lui.

Le corps de Brianna réagit aussitôt ; instinctivement, ses lèvres s'entrouvrirent. Dès que la langue de Leo effleura la sienne, son cerveau cessa de fonctionner, il n'y eut plus que la sensation. Elle lui rendit son baiser… et il s'écarta d'elle, la laissant tendue en avant, les yeux mi-clos…

— La preuve, murmura-t-il tout bas. Quand je te propose de voir les bons côtés de ma proposition, tu devrais m'écouter… Un mariage entre nous aurait des aspects intéressants.

— Je ne t'épouserai pas.

Humiliée, elle reprit son souffle et lâcha :

— Je m'en vais. Je t'appellerai dans quelques jours. Quand tu auras accepté ce que je viens de te dire, nous pourrons parler.

Elle se leva. Ses jambes peinaient à la porter, mais elle fila vers la porte comme on s'enfuit. Sur le trottoir, elle héla le premier taxi et lui demanda de la conduire à un hôtel proche de l'aéroport.

L'épouser ? Non. Il ne l'aimait pas, et elle n'envisagerait pas un seul instant de sacrifier leurs deux vies pour quelques bons moments au lit ! Quand on ne se supporte plus, le sexe s'épuise vite et ce jour-là, il ne leur resterait rien.

Elle allait tout de même devoir garder ses distances — car elle sentait bien qu'elle pourrait, un jour ou l'autre, sous la pression, céder à cette folie sensuelle qui s'emparait d'elle dès qu'il la touchait. Et elle refusait de laisser s'exprimer cette part d'elle-même qui lui faisait honte.

8.

Les sourcils froncés, Leo contempla la maison. Trop grande, trop luxueuse. Trop de terrain. Irrité, il fit non de la tête à la responsable de l'agence immobilière.

C'était la huitième maison qu'il visitait en l'espace de six semaines. Chaque fois, il s'était déplacé personnellement dans la campagne vallonnée du Berkshire, assez loin de Londres pour échapper à la pollution, assez proche pour pouvoir faire le trajet au quotidien.

Brianna n'était pas au courant de ses recherches. A ses yeux, il était juste le type qu'elle refusait d'épouser en répétant sur tous les tons, butée, qu'on n'était plus au XIXe siècle. La bonne nouvelle, c'était qu'il avait tout de même réussi à la convaincre de s'installer à Londres — enfin, en grande banlieue. Une victoire majeure ! En échange de cette concession, il avait dû renoncer au mariage immédiat qu'il escomptait à l'origine.

Dans un premier temps, comme elle refusait de continuer la discussion avec lui à Londres, il l'avait suivie jusqu'en Irlande — en faisant le trajet du village voisin chaque jour pour la voir, car elle refusait de le loger. Personnellement, il trouvait que ces scrupules arrivaient un peu tard, mais il n'avait rien dit, préférant chercher à lui démontrer combien sa proposition était logique. Son exposé, il l'avait fait au meilleur restaurant de la région. Il s'était donné à fond, avait avancé tous les arguments possibles — sans le moindre résultat.

Il était donc revenu à la charge lors d'une promenade vivifiante autour du lac. Le vent soufflait et son manteau, qui avait coûté une fortune, le protégeait beaucoup moins bien du froid que le vieux blouson emprunté pour faire les corvées, lors de son séjour au pub. Transi, grelottant, il s'était appliqué à lui rappeler l'alchimie sexuelle entre eux ; au premier mot, elle avait coupé court en menaçant de rentrer sans lui. A bout d'arguments, il s'était alors exclamé qu'il n'existait pas une seule femme au monde qui ne vendrait père et mère pour avoir le privilège de l'épouser. Encore une erreur tactique…

Voyant qu'il n'arrivait à rien, il avait tenté une autre approche : regagner sa confiance, faire en sorte qu'elle se sente à l'aise avec lui. Il ne comprenait pas comment elle pouvait le tenir à distance après qu'ils eurent été si proches, tous les deux, mais il avait enfin admis qu'il ne devait plus évoquer le passé. Ne rien dire qui puisse lui rappeler à quel point elle lui en voulait pour ses mensonges.

Forcé de renoncer à toute idée de conquête, il jouait la carte de la patience. S'il échouait encore… il ne savait pas ce qu'il ferait, préférait ne pas y penser ; mieux valait rappeler son assistante pour savoir quels autres biens s'étaient présentés sur le marché immobilier du Berkshire.

— Trop tape-à-l'œil, dit-il à la responsable de l'agence.

Les maisons qu'il visitait étaient toujours trop quelque chose. Quand son assistante lui suggéra d'envoyer quelqu'un à sa place pour opérer une présélection, il éclata de rire. Comme si un employé pouvait avoir la moindre idée des goûts de Brianna ! Ses collaborateurs étaient tous des Londoniens ; pour eux, rien ne serait trop spectaculaire.

— Trouvez-moi d'autres biens, ordonna-t-il. Oubliez les salles de bains en marbre et les piscines intérieures. Voyez plus petit.

Il raccrocha, regarda sa montre. Il n'était pas encore 14 h 30. De toute sa vie, il ne s'était jamais autant évadé du bureau — sauf quand il s'était exilé volontairement à Ballybay. Le travail, les réunions et les transactions n'avaient plus la priorité.

Il quittait la M25 en roulant vers Londres quand son assistante le rappela.

— Un petit village près de… attendez, Sunningdale. Je vous lis la description ? La maison vient d'être mise en vente aujourd'hui même. Heureusement, les agents ne nous ont pas oubliés.

Les agents immobiliers ne risquaient guère d'oublier un client comme lui ! Leo, qui avait déjà fait la moitié du trajet du retour, prit la première sortie et repartit en sens inverse.

— Je file jeter un coup d'œil. Annulez mon rendez-vous de 17 heures.

— Vous avez déjà annulé sir Hawkes deux fois.

— Dans ce cas, dites à Reynolds de le recevoir à ma place. Ça lui fera du bien de prendre des responsabilités.

Il atteignit rapidement le village, trouva la petite route qui partait dans la campagne… et s'arrêta devant un cottage de rêve, pressentant que, cette fois, il avait décroché le gros lot.

L'agent immobilier l'attendait sur le pas de la porte. Un quart d'heure plus tard, après une visite au pas de charge, il fit une offre au prix demandé, sans même se donner la peine de négocier. Ebloui, son guide se montra si obséquieux qu'il finit par l'envoyer paître.

— Voici ma carte. J'appelle mon notaire pour entamer les formalités. Je reviendrai demain avec quelqu'un pour lui montrer la maison. Arrangez-vous pour que nous puissions entrer.

Il remontait dans sa voiture tandis que le gros agent bredouillait encore des remerciements en tenant précieusement sa carte à deux mains. Leo aurait pu retourner au bureau, pour assister à la fin de la réunion avec Hawkes, mais il préféra filer tout droit vers la maison où il avait installé Brianna, dans la banlieue verte de Londres.

La Ferrari ! Brianna reconnut instantanément le grondement du moteur. Aussitôt, elle se redressa et afficha une expression distante et polie. Bridget était dans la cuisine, en train de leur faire un thé ; depuis qu'elle savait Brianna enceinte, elle était aux petits soins pour elle. Celle-ci avait beau lui répéter qu'une grossesse n'est pas une maladie, et que c'était Bridget, au contraire, qu'elle devait soigner…

La mère de Leo aussi avait entendu la voiture.

— Il rentre tôt, s'écria-t-elle avec plaisir. Je me demande pourquoi ? Je crois que je vais vous laisser un petit moment tous les deux et aller prendre un bon bain. Le médecin m'a conseillé de me reposer.

Brianna alla la rejoindre à côté en protestant :

— Ce n'est pas en bavardant assise dans un fauteuil que tu vas te fatiguer. Tu sais bien que Leo aime te voir quand il arrive.

Quant à elle, l'émotion la prenait à la gorge chaque fois qu'elle voyait la mère et le fils ensemble. Quels que soient les défauts de Leo, il était toujours charmant avec Bridget. S'il ne l'appelait pas « maman », il lui manifestait un respect, une prévenance toute filiale. Et Bridget était métamorphosée ; Elle était plus jeune, en meilleure santé… heureuse !

Bon, inutile d'insister davantage, son amie se repliait déjà dans sa chambre du rez-de-chaussée. La clé de Leo tourna dans la serrure, elle entendit son pas… La gorge serrée, elle se demanda pour la centième fois comment il s'y était pris pour la convaincre de s'installer à Londres, une ville qu'elle détestait — enfin, dans un quartier très calme de banlieue ! Elle avait l'impression que le piège se refermait sur elle, qu'elle commençait à s'habituer à sa présence… Il ne venait pas chaque jour, ne passait jamais la nuit sous leur toit, mais elle se surprenait à attendre ses visites. Il était plus que temps de penser au sevrage !

Il ne parlait plus de l'épouser. Avait-il renoncé ? Elle sentait toujours son corps s'éveiller en sa présence ; heureusement, il ne se rendait compte de rien. Il n'en faudrait pas plus pour qu'il revienne à la charge ! Il avait dû finir par comprendre que ce serait une folie de se lier pour la vie à une femme qu'il n'aimait pas. C'était bizarre : elle se sentait presque déçue qu'il ait renoncé aussi vite.

Il entra dans la pièce, auréolé par la lumière colorée du petit vitrail de l'entrée. Pour dire quelque chose, elle lança :

— Tu es là plus tôt que… d'habitude.

Le sourire qu'il lui décocha lui donna une furieuse envie de se jeter dans ses bras, mais elle se retint.

Sans la regarder, il demanda :

— Bridget n'est pas là ?

Leo dut s'obliger à détourner les yeux. Elle lui avait répété vingt fois que l'attirance physique ne suffisait pas à faire un mariage ; pourtant, elle l'attirait plus que jamais maintenant qu'elle portait son enfant.

— Elle se repose, répondit-elle.

— Je veux te montrer quelque chose.

Surtout, ne pas trahir son impatience. Elle se méfierait si elle devinait l'importance qu'il accordait à cette visite. Avec un nouveau sourire, il l'encouragea :

— Allez, mets ta veste. Nous prenons la voiture.

— Qu'est-ce que tu veux me montrer ? demanda-t-elle sans manifester le moindre enthousiasme.

— C'est une surprise.

— Je n'aime pas les surprises.

— Ce ne sera pas comme celle d'il y a deux ans, quand tu as trouvé le pub inondé en rentrant de week-end.

Il la vit rougir, contrariée sans doute par ce rappel d'une ancienne confidence. Bien entendu, elle trouva aussitôt un nouveau prétexte.

— Je ne suis pas habillée pour une sortie.

— Tu es très bien comme ça.

Il la détailla de haut en bas avec une attention qui la fit rougir, et se détourna en murmurant qu'il voulait dire bonjour à Bridget. Brianna en profita pour monter se recoiffer, mettre une touche de maquillage, et même — mais pourquoi donc ? — se changer. Après une brève hésitation, elle enfila son jean le plus ample, le seul qu'elle puisse encore fermer, et un pull très coloré qui lui donnait bonne mine.

Bientôt, ils roulaient vers l'autoroute en laissant la circulation derrière eux.

— Nous sortons de Londres ? Mais où m'emmènes-tu ?

Leo semblait vraiment très content de lui. Cela commençait à l'inquiéter.

— Et tu souris, en plus !

Bizarrement, son sourire la désarmait. A filer sur une route dégagée, par un radieux après-midi de printemps, le stress de ces dernières semaines se relâchait tout à coup. Elle se sentait en vacances.

— Nous allons avoir un bébé, dit-il avec un regard rapide dans sa direction. Se faire la tête, ce n'est pas possible…

Il ne lui faisait pas la tête, admit-elle en son for intérieur. Il s'efforçait même d'alimenter la conversation, sans se froisser quand elle lui répondait par monosyllabes. C'était sa dernière ligne de défense : le plus souvent, quand il venait les voir, elle parlait très peu, et uniquement pour ne pas faire de peine à Bridget. C'était agaçant : il ne semblait pas remarquer la brièveté de ses réponses et se comportait comme si tout allait pour le mieux entre eux. Il accueillait avec gentillesse la joie que leur situation procurait à sa mère ; s'ils n'avaient mentionné ni l'un ni l'autre sa proposition de mariage, tous deux convaincus que Bridget n'attendait que cela.

— Je ne savais pas que je faisais la tête, protesta-t-elle avec la plus parfaite mauvaise foi.

Malgré elle, son regard se posa sur les mains hâlées posées sur le volant, les avant-bras solides de Leo. Il avait jeté son veston à l'arrière, roulé les manches de sa chemise ; elle ne pouvait pas voir sa peau sans se souvenir du temps où ils étaient amants.

— Il y a des moments où tu ne la fais pas, dit-il tout bas.

— C'est-à-dire ? répliqua-t-elle, soupçonneuse.

— Parfois, ta voix est froide mais ton regard dit tout autre chose.

Il n'ajouta rien, alluma la radio et trouva une station classique. Que répondre à cela ! Oui, il lui faisait de l'effet, elle guettait malgré elle ses gestes, sa bouche, le regard de ses yeux sombres. L'avait-il remarqué ? Bien sûr : il remarquait tout. Plongée dans ses pensées, elle ne vit pas tout de suite que le paysage se modifiait. Quand elle réalisa qu'ils traversaient des champs et des petits villages, elle se tourna vers lui, stupéfaite.

— Nous sommes à la campagne !

— Bien vu.

Exaspérée, elle protesta :

— C'est un peu loin pour aller au restaurant !

Il voulait peut-être lui dire quelque chose d'important ? Lui faire part d'une grande décision ? Il s'apprêtait peut-être à lui annoncer qu'il avait pesé tous ses arguments et qu'il acceptait qu'elle rentre en Irlande. Qu'il se contenterait de venir voir son enfant de temps en temps. Mais pourquoi l'emmener si loin, dans ce cas ? Pour lui laisser le temps d'assimiler la nouvelle sur le trajet du retour ?

Le soupçon se mua aussitôt en certitude. Voilà, c'était fini. A la voir aussi souvent, il s'était souvenu à quel point il redoutait de s'engager. Le proverbe avait raison : la familiarité engendre le mépris. Jour après jour, il s'était senti obligé de quitter le bureau plus tôt pour passer un moment avec elle et Bridget, et cet avant-goût de la vie de famille avait suffi à le dégoûter. Plus elle y pensait, plus elle était sûre que ce qu'il voulait lui annoncer — sans doute au cours d'un dîner dans un pub champêtre — serait... quelque chose qu'elle n'avait aucune envie d'entendre.

Non, elle se trompait ! Ce serait une très bonne nouvelle au contraire. Ce n'était pas le moment de faiblir, elle devait rester forte et déterminée ; un mariage sans amour, ce n'était pas une solution... et pourtant, rien que d'y songer, son cœur battait trop vite et une affreuse tristesse lui serrait le cœur.

Elle en était là de son raisonnement quand la voiture s'arrêta. Elle leva les yeux ; Leo s'était garé devant l'une des plus jolies maisons qu'elle ait jamais vues.

— Où sommes-nous ? demanda-t-elle d'un air boudeur.

— Voilà ce que je voulais te montrer.

Leo ne cherchait même plus à contenir sa satisfaction. Hier, il avait eu un authentique coup de foudre ; il était tout heureux de ne ressentir aucune déception à cette seconde visite. Cette maison, c'était Brianna.

— Tu voulais me montrer une maison ? demanda-t-elle, perplexe.

— Pas n'importe quelle maison ! Viens.

Il ouvrit sa portière à la volée, se précipita pour lui ouvrir la sienne, résista à l'envie de l'aider à descendre : elle détestait ça et lui répétait qu'elle n'était pas devenue une petite chose fragile simplement parce qu'elle attendait un enfant. Elle le suivit vers la porte en traînant les pieds. Tout joyeux, il se pencha pour prendre la clé à l'endroit convenu, sous un pot de fleurs. Du coin de l'œil, il la vit humer l'air, puis respirer à pleins poumons. Effectivement ! Ils n'étaient qu'à quarante-cinq minutes de Londres, mais l'air n'était déjà plus le même. Il sentait bon.

Avant d'ouvrir la porte, il recula d'un pas pour admirer la façade, se retourna vers elle, et faillit laisser éclater sa joie en voyant son expression. Elle adorait le cottage !

— Il faut encore boucler le processus de vente, mais en gros, je l'ai achetée, annonça-t-il.

— Tu as acheté cette maison ?

— Entre vite et dis-moi ce que tu en penses.

— Mais…

— Chut…, dit-il en posant doucement l'index sur ses lèvres. Pose-moi toutes les questions que tu voudras, mais visite d'abord.

Lui qui n'avait vu la maison qu'une fois joua les guides avec brio, en soulignant tous les détails pittoresques qui devaient forcément la charmer : les deux cheminées du grand et du petit salon, le fourneau professionnel de la cuisine, la chambre tapissée en vert pomme qui donnait sur le verger — il n'avait pas remarqué le verger lors de sa première visite, mais il le lui montra avec fierté. Assez ému, il la regarda aller de pièce en pièce, se penchant aux fenêtres, faisant glisser sa paume sur la rampe de chêne ciré. Le circuit se termina dans la cuisine, face à une vue splendide sur le jardin. En entrant, il se mit à rire en constatant que les propriétaires appréciaient son offre : une bouteille de champagne et deux coupes étaient posées, bien en évidence, sur l'îlot central. Il se retourna vers Brianna en lançant :

— Alors ? Qu'est-ce que tu en penses ?

— C'est la maison parfaite, murmura-t-elle. Je n'aurais jamais cru qu'on puisse trouver des campagnes aussi belles si près de Londres. Ce sera une résidence secondaire pour toi ?

— Ce sera une résidence principale pour nous.

Brianna le dévisagea, le souffle coupé. Tout d'abord, une joie subite éclata en elle ; partager cette maison idéale avec l'homme qu'elle aimait et leur enfant, ce serait… En moins d'une seconde, elle crut voir le panorama de leur vie se dérouler devant ses yeux, vit leur fils ou leur fille courir dans le jardin, un chien sur les talons, se vit sourire, debout près de cette grande baie tandis que Leo, assis à la longue table de pin clair, lui racontait sa journée…

L'illusion se dissipa aussi vite qu'elle était venue — car si elle cédait, la réalité serait très différente. Elle resterait coincée ici, seule avec son enfant, pendant que Leo travaillerait tard à Londres ; en rentrant, il ferait la tête parce que cela l'ennuierait de faire le trajet tous les jours pour rejoindre une femme auprès de qui il se sentait piégé. Il serait uniquement ici par devoir. Non, elle ne devait pas se laisser éblouir par ce qui n'était qu'un fantasme.

— Non, Leo, lâcha-t-elle en se détournant pour cacher les larmes qui lui montaient aux yeux. Rien n'a changé. Tu ne peux pas m'acheter avec une jolie maison.

Pendant plusieurs secondes, Leo se demanda s'il avait bien entendu. Il avait été si sûr de la convaincre qu'il resta muet, décontenancé…

— Je n'avais pas conscience d'essayer de t'acheter…

Il fit quelques pas dans la cuisine en luttant pour remettre de l'ordre dans ses pensées en déroute.

— La maison te plaît. Tu l'as dit.

— Mais oui ! Elle est merveilleuse, mais ce n'est pas suffisant. Une maison ne crée pas un couple.

Elle dit cela d'une voix tragique, et lui tourna le dos.

— Bon.

Il disait « bon », mais il ne parvenait pas à admettre qu'elle venait de refuser tout ce qu'il lui offrait. Que leur mariage venait réellement de passer à la trappe. Il hésita un instant, les yeux fixés sur son profil buté, puis il sortit sans un mot. Il lui fallait de l'air, de l'espace — pour s'éclaircir les idées, retrouver le chemin, la prochaine étape logique…

Il faisait très doux. Il fit le tour de la maison sans rien voir du paysage qu'il venait de montrer à Brianna avec tant de fierté.

Le départ de Leo laissait un vide tangible dans la pièce. Brianna entendit claquer la porte d'entrée et pivota sur elle-même, effrayée. Où était-il parti ? Il n'allait tout de même pas s'en aller en la laissant ici, seule au milieu de nulle part ? D'un autre côté, la perspective de faire le trajet du retour, assise à côté de lui, était effroyable…

Elle sortit en courant — la voiture était toujours à sa place, ce qui la rassura un instant, mais… Leo ? Elle ne le voyait nulle part. Une flambée de panique la fit courir vers la route, regarder des deux côtés. Il n'avait tout de même pas été renversé par une voiture ? Non, bien sûr que non, il ne passait personne par ici, mais elle ne pouvait pas s'empêcher d'imaginer son corps effondré dans le fossé. La tête lui tournait, elle avait la nausée…

Elle revint sur ses pas, fit le tour de la maison en courant et le trouva enfin, sous un arbre, le dos tourné à la maison. Assis dans l'herbe dans son costume sur mesure.

— Leo ?

Elle s'approcha avec prudence. Elle ne l'avait jamais vu comme cela, muet, la tête basse. Il leva vers elle un regard bouleversant.

— Tu ne me pardonneras jamais mon mensonge, c'est ça ?

Il parlait si bas qu'elle dut se pencher un peu pour l'entendre. Il ajouta :

— Même en sachant que ce n'était pas contre toi, que j'ai juste réagi à chaud… Si j'avais su que je me retrouverais catalogué comme menteur pathologique…

— Je sais que tu n'es pas… comme ça.

Elle s'assit près de lui. Il y eut un silence, puis elle observa :

— Ton costume va s'abîmer.

— Ton jean aussi.

— Mon jean a coûté beaucoup moins cher que ton costume.

Elle s'enhardit à lui lancer un petit sourire ; il n'y répondit pas, mais continua à fouiller son regard de ses yeux perçants. Plus que tout au monde, elle aurait aimé lui prendre la main… Cela ne changerait rien, bien sûr, c'était juste son amour qui souffrait de ne pas pouvoir s'exprimer. Elle pouvait bien se l'avouer, maintenant : elle l'aimait, depuis les premiers jours à Ballybay… Mais justement parce qu'elle l'aimait, elle devait tenir bon, rester lucide et ne pas écouter la petite voix qui lui disait que ce geste magnifique de lui acheter la maison idéale signifiait quelque chose. Enfin…

— Tu avais raison, dit-il de cette voix blessée qui lui ressemblait si peu.

— Raison sur quoi ?

— J'essayais bien de t'acheter avec cette maison, ce jardin… J'ai cherché tout ce qui pourrait t'encourager à nous donner une chance. Mais rien ne sera jamais assez parce que tu ne peux pas me pardonner de t'avoir trompée.

Il ne comprenait donc pas que ce n'était pas seulement le mensonge ? Cette fois, il n'assenait pas ses vérités sans l'écouter. Cette fois, elle réussirait peut-être à s'expliquer.

— C'était comme si je ne savais plus qui tu étais, dit-elle à voix basse. Toutes les fois que je te croyais en train d'écrire, tu dirigeais tes entreprises en cachette. Je t'ai montré mes tableaux parce que je te prenais pour un artiste. Et après, tu n'étais plus du tout le même, tu étais froid, et méprisant, et… et tu t'étais servi de moi pour obtenir des renseignements sur Bridget…

— Oh ! Brianna, ce n'était pas du tout ça…

Mais ce qu'elle décrivait avait bien eu lieu, sa version s'enchaînait dans une suite logique, et il se faisait subitement l'effet d'un homme qui se retrouve un pied dans le vide, sans avoir jamais soupçonné la présence du précipice. La situation lui échappait ; lui, toujours si maîtrisé, il était emporté par un véritable raz-de-marée d'émotions contradictoires. Il se pressa les yeux des deux mains en luttant contre une subite envie de pleurer.

— Mais si, dit-elle avec une terrible douceur. C'était exactement comme ça. Et même si je te pardonnais…

C'était pardonné depuis longtemps, mais cela, elle ne pouvait pas le lui dire !

— … les ingrédients d'un vrai mariage ne sont pas réunis.

Il releva la tête.

— Pour toi, peut-être. Pour moi, tout est en place.

9.

Leo détourna la tête. Il avait trop peur de ce qu'il pourrait lire dans son regard : une décision irrévocable, un refus définitif de tout ce qu'il pourrait dire.

— Quand je suis allé voir ma mère à Ballybay, j'étais assez arrogant pour être sûr de ce que je trouverais : une paumée irresponsable, un être dépourvu de morale...

— Dans ce cas, pourquoi y aller ?

— Par curiosité.

Lui qui ne rendait jamais de comptes, ne s'expliquait jamais devant personne, il sentit qu'il devait prendre tout son temps et dire toute la vérité. Curieusement, c'était... facile de parler à Brianna. Beaucoup plus facile qu'avec aucune autre des femmes de sa vie. Cela aurait dû suffire à lui faire comprendre sur quelle voie il s'engageait, mais il n'avait pas relevé l'indice. Et maintenant, il avait l'impression terrible que sa confession arriverait trop tard.

Il devait sa réussite à son intelligence, sa réactivité, et surtout à un don inné pour déchiffrer une situation, jauger la personne qui lui faisait face. Et voilà qu'au moment le plus crucial de son existence, ce talent l'abandonnait. Un mot de travers et Brianna lui échapperait. Et si elle partait, il ne lui resterait rien.

— J'ai eu une enfance merveilleuse, reprit-il, mais j'avais toujours conscience d'un manque, une case vide...

— Je peux comprendre ça.

— J'avais toujours supposé que…

Il faisait presque nuit. Il inspira à fond et s'adossa au tronc de l'arbre en fermant les yeux. Dans un sens, l'endroit était très mal choisi pour une discussion à cœur ouvert — en même temps, cela lui semblait juste, incontournable même, d'être assis avec Brianna dans ce jardin.

— Supposé quoi… ?

— Qu'il devait y avoir un blocage chez moi qui inhibait mes émotions. Mes parents adoptifs étaient très amoureux, ils m'ont montré le meilleur exemple possible d'un mariage réussi. Pourtant, instinctivement, j'ai toujours évité de m'engager… et je me suis toujours demandé si c'était en rapport avec mon adoption. Abandonné tout bébé, je ne pouvais pas croire aux relations durables, donc je les fuyais. Ou alors c'était génétique, une tare héréditaire qui me venait de la femme qui m'avait fait naître sans vouloir me garder.

Brianna aurait aimé le rassurer, lui dire qu'un tel gène n'existait pas. Quel que soit le blocage qui l'avait empêché de s'engager par le passé, il pouvait parfaitement le surmonter ! Mais si elle disait cela, il en tirerait les mauvaises conclusions et elle n'osait pas baisser sa garde. Il pouvait se montrer tout à fait sincère dans son désir de l'épouser, elle devrait s'en tenir à sa décision. Mais comme c'était difficile, alors qu'elle mourait d'envie de se jeter dans ses bras ! Elle aurait donné n'importe quoi pour effacer cette expression de souffrance sur le beau visage de son amour.

— Je t'ai expliqué que je m'étais promis de la retrouver un jour. Quand j'ai perdu mes parents, j'ai décidé que le moment était venu…

— Moi, ce qui m'étonne, c'est que tu aies attendu aussi longtemps, murmura-t-elle. J'aurais voulu savoir tout de suite.

— C'est la grande différence entre nous, répondit-il

avec un sourire rapide. Je n'ai pas su apprécier ces différences.

— Ah ? ajouta-t-elle.

— Oui, avoua-t-il avec un nouveau sourire. Je crois que c'est ce qui m'a plu chez toi, dès le début. Quand je t'ai vue, j'en suis resté abasourdi. Il y avait ta beauté, bien sûr, mais… tu n'étais comme personne d'autre. Oui, j'ai menti sur mon identité, mais ce n'était pas contre toi. Je ne ferais jamais rien contre toi.

— Non ?

— Jamais, répéta-t-il avec une conviction farouche.

Il sembla réfléchir un instant, puis il dit :

— Je ne faisais que passer, puis nous avons fait l'amour, et je suis resté.

— Pour en apprendre davantage sur Bridget.

— Pour être avec toi.

Dans la poitrine de Brianna, un espoir fou naquit tout à coup. Elle s'aperçut qu'elle retenait son souffle.

— Je n'ai même pas vu que je m'enfonçais de plus en plus, enchaîna-t-il, pensif. J'avais tellement l'habitude de ne jamais m'attarder auprès d'une femme que je n'ai pas reconnu ce qui m'arrivait. Je me disais juste que je prenais ce temps pour moi. Tu étais si différente, je pouvais bien m'autoriser un peu de bonheur avec toi, mais j'allais forcément repartir…

— Et tu l'as rencontrée…

— J'ai rencontré Bridget, et mes idées toutes faites se sont écroulées comme un château de cartes. Elle n'était pas une paumée qui s'était débarrassée de son fils sans états d'âme, mais une femme bien, une femme réelle et complexe qui n'entrait dans aucune des cases que j'avais préparées pour elle. Je voulais mieux la connaître. J'avais très conscience de m'être mis dans une situation intenable, avec le mensonge que j'avais lancé en arrivant, sans penser à mal. Je me dégoûtais un peu, mais j'ai réprimé ma culpabilité.

— Et Bridget est tombée, et…

— Et le masque est tombé avec elle. C'est drôle, une femme ordinaire aurait été ravie de découvrir que son amant qu'elle croyait fauché était milliardaire ; elle aurait été trop heureuse de renoncer à l'écrivain imaginaire pour se jeter au cou du grand patron. Je regrette de tout mon cœur de t'avoir menti, et aussi de n'avoir pas été assez malin pour tout te dire quand je le pouvais encore. Je suppose que je sentais que s'il y avait une femme au monde qui préférait le vagabond fauché au magnat de la finance, c'était toi…

Elle ne sut que répondre. C'était profondément étrange d'entendre le récit de leur rencontre de son point de vue à lui.

— Et si tu savais, dit-il, comme je regrette de m'être accroché à mon rôle alors que ça n'avait plus aucun sens… Je te fais souvent des excuses, non ?

Encore un de ces sourires qui lui donnaient l'air tellement plus jeune, et tellement moins sûr de lui…

— Et les excuses, ce n'est pas ton truc.

— Exactement.

— Que veux-tu dire par « s'accrocher à ton rôle » ?

— Quand tu as découvert mon identité, tu t'es brusquement transformée en ange exterminateur et moi, j'ai décidé que rien ne devait changer. Tu étais bouleversée, et ce qui nous rapprochait était rare et précieux, mais tant pis, rien ne devait m'obliger à me justifier. On ne perd pas facilement les très vieilles habitudes…

Il soupira et ajouta, comme pour lui-même :

— Je t'ai laissée partir. C'était l'erreur la plus monumentale de toute ma vie, mais j'avais trop d'orgueil pour te demander de rester.

— L'erreur la plus monumentale ? répéta-t-elle en retenant son souffle.

Il lui jeta un regard de biais, une étincelle d'humour au fond des yeux.

— J'espère que tu profites bien du moment ? Ce n'est pas souvent que je me traîne dans la boue.

— Non, je…

— Je ne peux pas t'en vouloir. Nous devrions rentrer, maintenant. Tu vas prendre froid.

— Le sol était mouillé. Les propriétaires ne seront pas contents si nous salissons leurs beaux meubles.

— Ma voiture, alors. Je peux te promettre que le propriétaire se fichera qu'on mette un peu de terre sur ses sièges.

Il se leva et lui tendit la main pour l'aider à se lever. Quand elle la prit, le courant familier circula de nouveau entre eux, puissant et invisible. Il la releva sans effort ; ils allèrent fermer la maison, remirent la clé à sa place, et retournèrent vers la voiture.

— Personne à Londres n'oserait laisser sa clé sous un pot de fleurs, observa machinalement Leo.

Il n'avait pas lâché sa main. Elle ne cherchait pas à se dégager et il avait la faiblesse d'espérer que c'était bon signe.

— Et personne à Ballybay ne serait assez méfiant pour verrouiller sa porte, répliqua-t-elle.

Il eut envie de lui dire que c'était une bonne chose ; que si elle acceptait de partager sa vie, elle vivrait dans un endroit sûr où les voisins se font confiance. Il aurait voulu renier son luxueux penthouse.

Comme elle tenait absolument à ce qu'ils couvrent les sièges, il alla chercher un plaid dans le coffre — l'un de ces objets que Harry y rangeait en affirmant qu'ils serviraient forcément un jour. Une fois de plus, les faits lui donnaient raison. Puis il invita Brianna à le rejoindre sur le siège arrière : il ne voulait pas être séparé d'elle par le levier de vitesses. Elle s'installa près de lui en lâchant une petite phrase sur les banquettes arrière des voitures… et rougit. Encouragé, il osa repartir à l'attaque.

— La maison t'a plu.

Attention, cela, il l'avait déjà dit ; ce serait une erreur de reprendre des arguments qu'elle avait déjà rejetés. Il se hâta d'ajouter :

— Ce n'est pas seulement la maison, tu sais ? Ce que je te propose est bien plus qu'un mariage de raison. Ce qui nous arrive dépasse mon envie de faire au mieux pour notre enfant, à cause de ce qui m'est arrivé quand j'étais bébé.

Il renversa la tête sur le dossier en cherchant sa main à l'aveuglette.

— Si tu n'étais pas venue me trouver pour m'annoncer que tu étais enceinte, j'aurais fini par aller te chercher. Tu as toujours été davantage qu'une liaison, pour moi. Toi aussi, j'ai voulu t'enfermer dans une case, mais je n'ai jamais réussi. Et pourtant, ce n'est pas faute d'avoir essayé !

Il eut un petit rire épuisé et soupira :

— C'est ce que je te disais : les mauvaises habitudes ont la vie dure.

— Tu serais vraiment venu me chercher ? demanda-t-elle d'une voix enrouée.

Ils ne se regardaient toujours pas, mais le courant vibrait dans leurs mains jointes.

— Je n'aurais pas eu le choix, avoua-t-il. Je t'aime tant que je ne peux même pas imaginer ma vie sans toi. Je crois bien que je le sais depuis longtemps, mais je ne voulais pas me l'avouer. Je n'avais encore jamais été amoureux, tu comprends ? Je n'avais aucun point de comparaison. La vie m'a fait de beaux cadeaux ; sans être trop suffisant, je peux dire que j'ai réussi tout ce que j'ai tenté — mais voilà, rien de tout ça n'a la moindre valeur si la seule femme que j'aie jamais aimée me tourne le dos.

Brianna s'était envolée au septième ciel au premier

« je t'aime ». Quand elle réussit à reprendre son souffle, elle murmura :

— Tu es amoureux ?

— Oui. Se marier, ça n'a peut-être aucun sens pour toi mais pour moi, c'est une évidence. Tous les ingrédients sont réunis... en ce qui me concerne.

— Mais pourquoi ne pas l'avoir dit plus tôt ?!

Elle jeta les bras autour de son cou et il la serra à l'étouffer.

— Je t'aime si fort ! chuchota-t-elle d'une voix tremblante. Quand tu as dit qu'il fallait qu'on se marie, tu présentais cela comme la seule option raisonnable et moi, je ne voulais pas d'un mariage de raison ! Si je t'avais moins aimé, j'aurais peut-être sauté sur l'occasion..., mais vivre avec toi alors que tu ne m'aimais pas en retour m'aurait brisé le cœur.

Il chercha ses lèvres. Ils s'embrassèrent fiévreusement, cramponnés l'un à l'autre.

— Je n'ai jamais rien éprouvé de pareil ! murmura-t-il.

Il la contemplait, tout épanoui de bonheur — comme si le simple fait de la tenir dans ses bras était un miracle.

— Je n'avais pas les mots pour te dire ce que je ressentais ! Je pouvais juste espérer que mes actes parleraient pour moi — et quand ça n'a pas marché, quand j'ai cru que j'allais tout perdre...

Elle lui offrit sa bouche. Quel bonheur de sentir de nouveau son cœur battre contre le sien, d'explorer du bout des doigts les contours merveilleusement familiers de son visage !

— Veux-tu m'épouser, demanda-t-il d'un ton grave.

— Oui ! s'écria-t-elle. Oui, oui, oui, bien sûr que je veux t'épouser !

Il ferma les yeux, heureux jusqu'au plus profond de son être. Puis il demanda très vite :

— Quand ?

— Je ne sais pas. Il faut du temps pour organiser un mariage.

— Deux semaines, ce sera assez long ?

Elle éclata d'un grand rire joyeux.

— Largement !

En fin de compte, il leur fallut attendre six longues semaines avant que leur union ne soit célébrée dans la petite église de Ballybay. Le village entier fêta leurs noces avec une exubérance typiquement irlandaise. Deux jours plus tard, l'heureux couple partit en lune de miel en laissant Bridget superviser la gestion du pub — car celle-ci avait décidé que l'Irlande était son pays et qu'elle voulait y vivre.

— Attendez-vous tout de même à des visites fréquentes ! avait-elle dit à Brianna.

Assise sous la véranda de leur délicieuse villa, près de la plage, Brianna revivait la scène en contemplant la mer, un verre d'orange pressée à la main, bien à l'aise dans une robe légère qui soulignait joliment son ventre arrondi… Beaucoup plus arrondi que le jour où elle était partie à Londres, le cœur battant, pour annoncer à Leo qu'elle était enceinte !

Comment aurait-elle pu imaginer, ce jour-là, qu'elle serait bientôt si heureuse ? Quand ils rentreraient en Angleterre, ce serait pour s'installer dans la maison qu'elle avait adorée au premier coup d'œil. Un avenir radieux s'ouvrait devant eux, débarrassé de tous les obstacles : elle vivrait auprès de l'homme qu'elle adorait, leur bébé viendrait célébrer leur amour et Bridget compléterait leur famille. Elle peindrait de nouveau…

— A quoi penses-tu ?

Leo venait de sortir de la maison pour la rejoindre. Elle lui lança un sourire rayonnant en lui tendant la main. Le soleil s'était couché, les grillons chantaient dans le soir tiède et la mer était si calme qu'on entendait à peine le souffle du ressac sur le sable. Les Caraïbes dans toute leur splendeur. Elle murmura :

— Je pensais au paradis et je sais maintenant à quoi il ressemble.

— Le soleil, le sable et les vagues, mais sans les cocktails, c'est ça ?

Leo s'assit près d'elle et posa aussitôt les mains sur son ventre. C'était drôle : il ne se lassait jamais de sentir bouger le bébé. Sa Brianna… il était fou d'elle, amoureux au point de détester la perdre de vue… et de reléguer son activité professionnelle à une place très secondaire !

Il plongea dans ses magnifiques yeux verts et glissa la main sous sa robe pour caresser son ventre en murmurant :

— Je t'ai déjà dit à quel point je te trouve sexy, enceinte ?

— Tu l'as peut-être mentionné une ou deux fois…

Elle s'abandonna sur sa chaise longue avec volupté. Il embrassa son oreille, la sentit sourire, et ajouta :

— Dis ? Je crois qu'il y a mieux à faire que de contempler la mer, non ?

Il aurait pu ajouter que lui aussi, maintenant, vivait au paradis.

collection *Azur*

Ne manquez pas, dès le 1er mars

***UN MARIAGE À ATHÈNES**, Julia James* • *N°3565*

Epouser Anatole Telonidis, cet homme qu'elle ne connaît que depuis deux jours ? Tout en Lynette se révolte à cette idée et pourtant, a-t-elle vraiment le choix ? Si elle refuse ce mariage de convenance, Anatole aura le pouvoir de lui ôter la garde du petit Georgy. Georgy, cet enfant qu'elle aime plus que tout, mais qui n'est autre que l'héritier de la puissante famille d'Anatole… Bouleversée, Lynette se résout à céder aux exigences du magnat grec… tout en se promettant de garder ses distances avec son futur époux. Car après tout, elle ne sait rien des véritables intentions de cet homme qu'elle devine impitoyable sous ses airs de dieu grec...

***RETROUVAILLES AU CASTELLO**, Melanie Milburne* • *N°3566*

« Je veux que tu sois la nourrice de ma fille». A ces mots, Eliza sent son cœur se glacer. Bien sûr, quatre ans après leur douloureuse rupture, elle ne s'attendait pas à ce que Leo Valente soit resté célibataire, mais de là à imaginer qu'il soit aujourd'hui veuf et père d'une petite fille… Pourquoi lui fait-il cette proposition insensée, lui qui a toutes les raisons de la haïr ? Et surtout, pourquoi est-elle incapable de refuser son offre, alors que son instinct lui crie de fuir loin de ce château italien où elle se retrouvera à la merci de cet homme qui ne semble rien avoir perdu de son pouvoir sur elle ?

***CAPTIVE DU SOUVENIR**, Maggie Cox* • *N°3567*

« Je préférerais que tu aies peur de moi ». A ces mots, Lara se fige, stupéfaite. Car Gabriel Devenish, devenu un richissime et ténébreux homme d'affaires, n'a plus rien de l'homme qui habitait ses rêves d'adolescente. Il est plus sombre, plus dur… et plus attirant encore. Et si Gabriel l'a repoussée, treize ans plus tôt, lors de cette soirée où elle lui a offert son cœur, la lueur qu'elle voit aujourd'hui briller dans son regard ne laisse aucun doute quant au désir qu'elle lui inspire. Alors, même si elle sait que Gabriel lui brisera le cœur, Lara ne peut s'empêcher de franchir les quelques centimètres qui la séparent encore de lui. Elle a besoin de découvrir jusqu'où peut les mener leur indéniable attirance, quel qu'en soit le prix...

L'ENFANT D'UNE NUIT D'ÉTÉ, *Mira Lyn Kelly* • *N°3568*

A la minute où Jeff Norton entre dans le bar où elle travaille, Darcy sait que cet homme ne peut lui apporter que des ennuis. Il est trop beau, trop charismatique, trop… envoûtant. Et pourtant, elle se laisse séduire. Pour une nuit, une seule, elle décide de s'abandonner à la passion entre ses bras. Une nuit après laquelle elle prend la fuite sans un mot, déterminée à ne jamais revoir cet homme qui n'a eu qu'à apparaître pour éveiller en elle des sentiments si dangereux. Hélas, quelques semaines plus tard, elle n'a plus le choix. Pour le bien de l'enfant qu'elle porte, elle va devoir revoir Jeff et lui annoncer la nouvelle qui a bouleversé sa vie...

UNE TEMPÉTUEUSE PASSION, *Lindsay Armstrong* • *N°3569*

Depuis sa rencontre houleuse avec Damyen Wyatt, deux mois plus tôt, Harriet ne cesse de songer à lui, à son regard envoûtant, à son corps d'athlète. Mais aujourd'hui, elle doit absolument faire taire ces pensées importunes, pour convaincre ce riche collectionneur qu'elle est l'expert de l'art qu'il recherche. En effet, elle a désespérément besoin de ce poste qui lui permettrait de démarrer une nouvelle vie dans cette région reculée de l'est de l'Australie où elle s'est installée pour offrir les meilleurs soins possible à son frère victime d'un grave accident. Mais comment gagner la confiance de Damyen quand sa simple présence lui fait perdre tous ses moyens ?

LA TENTATION D'ALESSANDRO MORETTI, *Cathy Williams* • *N°3570*

Ce visage délicat, cette silhouette sensuelle… Alessandro Moretti ne peut retenir un tressaillement. Jamais il n'aurait imaginé revoir un jour Chase Evans. La seule femme qu'il ait jamais aimée… et celle qui l'a trahi de la pire des façons. Huit ans plus tôt, n'a-t-elle pas tout mis en œuvre pour le séduire avant de lui avouer qu'elle était mariée à un autre homme ? Et voilà qu'elle est face à lui, à sa merci : lui seul peut sauver le foyer pour jeunes filles auquel elle semble si attachée – si on en croit l'acharnement qu'elle met à empêcher sa fermeture. Alors, puisque le destin lui offre une occasion de se venger, Alessandro compte bien en profiter, tout en assouvissant – enfin – le désir fou que Chase lui a toujours inspiré !

SÉDUCTION GRECQUE, *Maya Blake* • *N°3571*

Le cœur battant mais plus résolue que jamais, Perla franchit les quelques mètres qui la séparent du bureau d'Arion Pantelides. Cet homme a beau avoir toutes les raisons de la mépriser – ne s'est-elle pas abandonnée à la passion dans ses bras, trois mois plus tôt, alors qu'il n'était pour elle qu'un parfait inconnu ? – elle ne compte pas se laisser intimider par le regard glacial qu'il pose sur elle. Si elle est là aujourd'hui, c'est uniquement pour parler affaires. Car c'est hélas de cet homme, qu'elle s'était juré de ne jamais revoir, que dépend son avenir...

LE DÉFI D'UNE HÉRITIÈRE, Jennifer Hayward • *N°3572*

- Trois héritiers à aimer - 3ème partie

« La reine des glaces. » Quinn Davis sait bien comment on la surnomme dès qu'elle a le dos tourné. Et franchement, après l'échec de son mariage avec un homme violent et manipulateur, c'est le cadet de ses soucis. Aujourd'hui, seuls comptent pour elle son travail et le succès de la chaîne d'hôtels dont son père vient de lui confier la gestion. Aussi, c'est avec la plus grande méfiance qu'elle accepte de collaborer avec Matteo De Campo, le vice-président des vins De Campo. Car au trouble puissant qui l'envahit chaque fois qu'elle se trouve en sa présence, elle devine que Matteo a le pouvoir de la blesser plus qu'aucun autre avant lui...

LA MAÎTRESSE DU SULTAN, *Sharon Kendrick* • *N°3573*

- Les secrets du désert - 3ème partie

Depuis qu'elle a rencontré Murat, Catrin mène une vie faite de rendez-vous chez le coiffeur, de shopping chez les plus grands créateurs et de dîners mondains… N'est-ce pas ce qu'on attend de la maîtresse d'un sultan ? Hélas, si cette situation lui a d'abord convenu, elle a, chaque jour qui passe, un peu plus l'impression de se perdre. Aussi, quand elle apprend que son amant est sur le point d'en épouser une autre, elle comprend qu'elle doit agir. Blessée et humiliée, Catrin décide de mettre un terme à cette relation dévastatrice. Avant que Murat ne la persuade de passer un dernier week-end avec lui...

PIÉGÉE PAR LE PRINCE, *Lynn Raye Harris* • *N°3574*

- La couronne de Kyr - 1ère partie

En apprenant que son père, le roi de Kyr, se meurt, Kadir sent son sang se glacer. Le vieil homme, brouillé avec le frère aîné de Kadir, va à n'en pas douter vouloir lui confier son trône. Or Kadir n'a jamais eu l'intention de régner. Pire, l'idée même lui est insupportable. Pour échapper à son destin, il n'entrevoit qu'une solution : entacher son nom d'un terrible scandale en épousant Emily, sa fidèle assistante. Américaine, issue d'une famille modeste, elle est tout à fait inappropriée à un homme de son rang… Un plan parfait. Certes. Sauf qu'il n'avait pas prévu que cette femme qu'il pensait pourtant connaître mieux que quiconque éveillerait bientôt en lui un désir fou...

Attention, numérotation des livres différente pour le Canada : numéros 1986 à 1993.

A paraître le 1er janvier

Best-Sellers n°627 • suspense

Mystère en eaux profondes - Heather Graham

Un luxueux cargo englouti depuis plus d'un siècle au fond du lac Michigan. A son bord, un somptueux trésor : le sarcophage sacré d'un grand prêtre égyptien…

Les malédictions, l'agent Kate Sokolov n'y croit pas. Alors, quand on la charge d'enquêter sur une série de meurtres ayant tous un lien avec l'épave du Jerry McGuen – un galion échoué dans les eaux glaciales du lac Michigan – et qui seraient, selon la rumeur, l'œuvre d'un fantôme, elle se fait la promesse de mettre un terme aux agissements du tueur au plus vite. Elle qui possède le don si particulier de communiquer avec les morts, est en effet bien placée pour savoir que ces assassinats n'ont en aucun cas été commis par un revenant. Un avis partagé par Will Chan, un expert du FBI qu'on lui a assigné comme partenaire sur cette affaire et qui trouble Kate au plus haut point. Car, en plus de faire preuve à son égard d'une horripilante arrogance, il lui révèle bientôt avoir le même don qu'elle…

Best-Sellers n°628 • suspense

La marque écarlate - Virna DePaul

L'embaumeur. Carrie s'est fait la promesse d'arrêter ce psychopathe qui, depuis deux ans, embaume le corps de jeunes femmes encore vivantes et envoie des photos de son œuvre à la police, comme s'il s'agissait de trophées. Si elle veut avant tout empêcher le meurtrier de frapper de nouveau, pour Carrie, l'enjeu est aussi personnel. C'est son premier cas de tueur en série, et l'occasion qu'elle attendait de faire ses preuves dans l'univers si masculin de la brigade spéciale d'investigation de San Francisco. Même si cela signifie aussi, hélas, qu'elle va devoir travailler avec l'agent Jase Tyler. Un homme qu'elle a toutes les raisons de détester – n'a-t-il pas émis des doutes sur sa capacité à diriger l'enquête ? – mais dont la seule présence éveille en elle un désir profond, brut et incontrôlable...

Best-Sellers n°629 • suspense

Au cœur de la vengeance - B. J. Daniels

Ginny, la petite sœur qu'il adorait, gisant morte dans un fossé…

Depuis onze ans, Rylan West est hanté par cette image terrible, insoutenable. Et, depuis onze ans, il n'a qu'une obsession : tuer Carson Grant, l'homme qui – il en est persuadé – est l'assassin de sa sœur. Aujourd'hui, enfin, il tient sa vengeance. Car Carson vient de refaire surface à Beartooth, le petit village ancré au cœur du Montana où ils ont grandi…

Mais c'est alors que Destry Grant, la jeune fille fougueuse et terriblement attachante dont il était fou amoureux avant le drame, lui apprend, bouleversée, qu'une nouvelle preuve vient d'être découverte. Il faut la croire, répète-t-elle, quand elle affirme que son frère est innocent. Et, si Rylan accepte son aide, elle est prête à reprendre l'enquête avec lui pour découvrir qui est vraiment le meurtrier de Ginny…

Best-Sellers n°630 • érotique
Le secret - Megan Hart

Les regards lourds de désir d'un inconnu dans un bar, les caresses fiévreuses échangées à la hâte, le plaisir vite pris, et vite oublié… Jusqu'où Elle Kavanagh est-elle prête à se perdre ?

Pour fuir son passé et son terrible secret, Elle Kavanagh s'est jetée à corps perdu dans des aventures sans lendemain, multipliant les rencontres furtives et dénuées de sentiments avec des inconnus qu'elle ne revoit jamais. Mais l'irruption de Dan Stewart dans sa vie va tout changer. Pour la première fois, un homme qui lui plaît pourtant de manière insensée refuse le corps qu'elle lui offre. Et lui annonce qu'il ne couchera avec elle que si elle accepte de le revoir. Même si ce n'est que pour du sexe…

Best-Sellers n°631 • historique
Conquise par un gentleman - Kasey Michaels

Londres, 1816

Depuis qu'elle a appris la mort de son fiancé à Waterloo, Lydia pensait qu'elle ne pourrait plus jamais aimer. Son grand amour était tombé au champ d'honneur, et tous ses espoirs avec lui. Recluse dans la demeure familiale d'Ashurst Hall, elle mène depuis ce drame une existence paisible, égayée par le prévenant Tanner, le meilleur ami de son défunt fiancé, qui a juré de veiller sur elle. Mais contre toute attente — et surtout contre toute morale — elle sent monter un trouble de plus en plus fort pour ce confident si attentif, et si séduisant. Se pourrait-il qu'elle nourrisse des sentiments à l'égard d'un homme qui était comme un frère pour son fiancé ? N'est-ce pas une trahison envers la mémoire de ce dernier ? Et Tanner, est-ce seulement par devoir qu'il lui accorde tous ces moments d'intimité, qui les rapprochent au fil des jours ? Elle doit absolument réprimer ses émotions, Lydia le sait : même si son désir était partagé, rien ne pourrait arriver entre eux. Car Tanner est fiancé à une autre...

Best-Sellers n°632 • thriller
L'automne meurtrier - Andrea Ellison

Par une sombre soirée d'octobre, le lieutenant Taylor Jackson est appelée sur plusieurs scènes de crime dans un quartier chic de Nashville. Sur place, elle découvre les corps sans vie de sept adolescents, marqués de symboles occultes. Une vision d'horreur qui obsède Taylor, partagée entre colère et angoisse à l'idée que le tueur puisse frapper de nouveau. Elle doit agir vite, très vite. Mais aussi avec prudence, car le meurtrier est manifestement aussi incontrôlable qu'imprévisible. Or, Taylor a beau se concentrer de toutes ses forces sur le peu d'indices dont elle dispose – les dessins mystiques laissés sur les corps des victimes –, l'enquête piétine.

Déterminée, elle plonge alors dans les ténèbres de cette affaire macabre. Au risque de voir son équilibre menacé, malgré le soutien que lui apporte Jack Baldwin, le brillant profileur du FBI avec qui elle est fiancée. Car c'est le prix à payer pour comprendre comment un être machiavélique, animé d'une rage débridée, en arrive à commettre de telles atrocités. Et, pour trouver le tueur, elle devra d'abord s'en approcher…

HARLEQUIN
www.harlequin.fr

Composé et édité par HARLEQUIN

Achevé d'imprimer en janvier 2015

Barcelone

Dépôt légal : février 2015

Pour l'éditeur, le principe est d'utiliser des papiers composés de fibres naturelles, renouvelables, recyclables, et fabriquées à partir de bois issus de forêts qui adoptent un système d'aménagement durable. En outre, l'éditeur attend de ses fournisseurs de papier qu'ils s'inscrivent dans une démarche de certification environnementale reconnue.

Imprimé en Espagne